Sandra Doyon

Je vous écris de mon camion

histoires de route

À ceux qui vivent leurs passions et
dont les vibrations parviennent jusqu'à moi.

La terre nous en apprend plus long sur nous que tous les livres. Parce qu'elle nous résiste. L'homme se découvre quand il se mesure avec l'obstacle. Mais pour l'atteindre, il lui faut un outil. Il lui faut un rabot, ou une charrue.

Antoine de Saint-Exupéry
Terre des Hommes

La maquina, la hace el hombre, y es lo que el hombre hace con ella[1].

Jorge Drextler
Extrait de la chanson *Guitarra y vos*

La route, c'est la vie.

Jack Kerouac
Sur la route

1. Traduction libre : [La machine, l'homme la fait et après, c'est que ce que l'homme fait avec elle.]

Photographie de la couverture : Les Photographistes
Photographies de la quatrième de couverture : Sandra Doyon
Révision et correction : Patricia Juste, Élyse-Andrée Héroux
Graphisme : Geneviève Guertin

Dépôts légaux : 1er trimestre 2011
Bibliothèque nationale et archives du Québec
Bibliothèque nationale du Canada

Les Éditions Goélette bénéficient du soutien financier de la SODEC pour son programme d'aide à l'édition et à la promotion.

Nous remercions le gouvernement du Québec de l'aide financière accordée par l'entremise du Programme de crédit d'impôt pour l'édition de livres, administré par la SODEC.

ASSOCIATION NATIONALE DES ÉDITEURS DE LIVRES Membre de l'Association nationale des éditeurs de livres.

Imprimé au Canada

ISBN : 978-2-89638-906-3

La carte qui suit existe aussi virtuellement sur mon blogue
pour ceux qui veulent suivre mon parcours et voir
des photographies de mes histoires de route.
camionneuse.blogspot.com

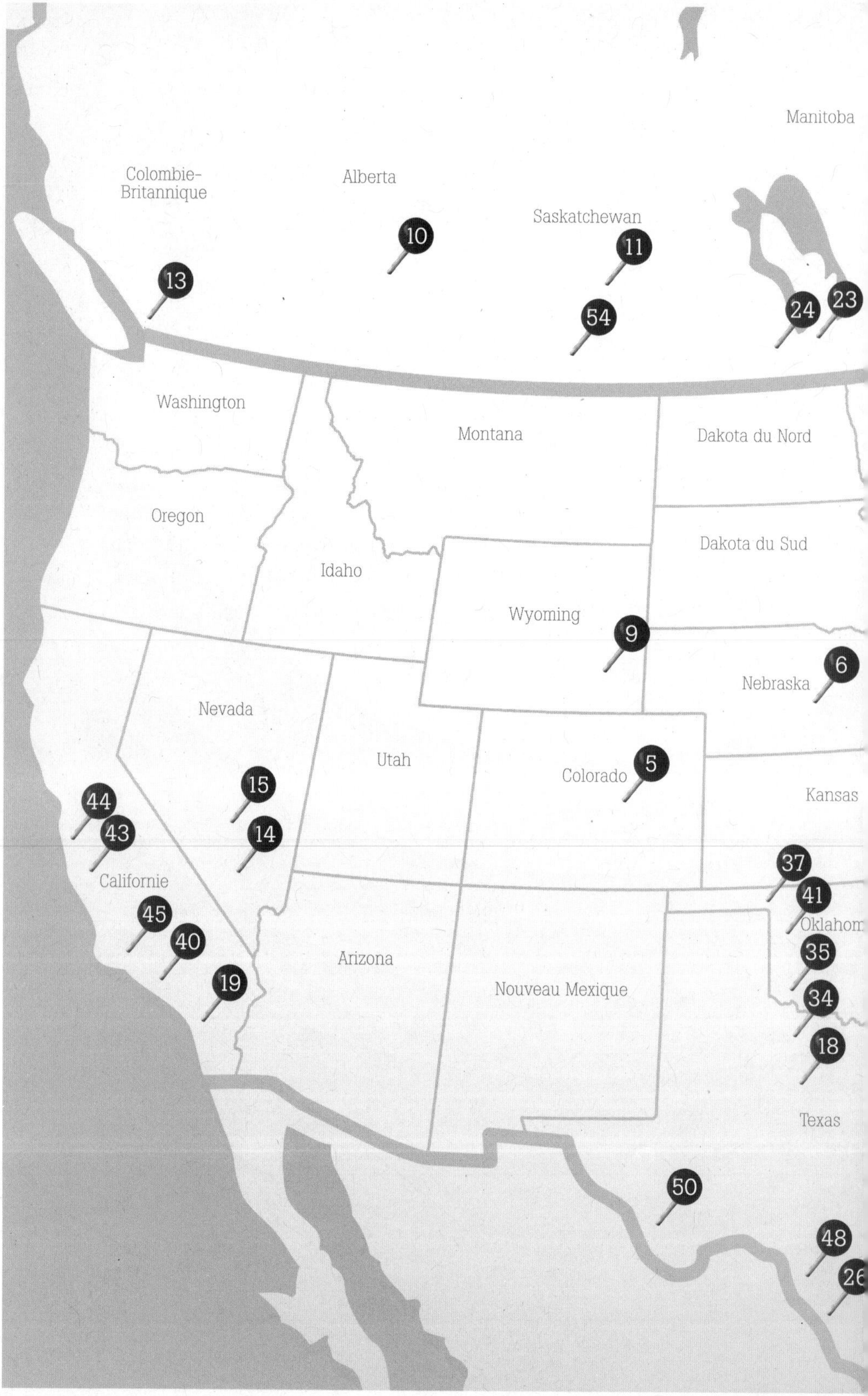

Manitoba

Colombie-
Britannique

Alberta

Saskatchewan

10

11

13

54

24

23

Washington

Montana

Dakota du Nord

Oregon

Dakota du Sud

Idaho

Wyoming

9

Nebraska

6

Nevada

Utah

Colorado

5

Kansas

15

44

43

14

Californie

37

41

Oklahom

45

40

35

Arizona

19

Nouveau Mexique

34

18

Texas

50

48

26

Québec
Ontario
Île-du-Prince-Édouard
Nouveau-Brunswick
Maine
Nouvelle-Écosse
Vermont
Minnesota
New Hampshire
Massachusetts
New York
Rhode Island
Wisconsin
Connecticut
Michigan
Pennsylvanie
Iowa
New Jersey
Ohio
Illinois
Indiana
Maryland
Virginie Occidentale
Virginie
Missouri
Kentucky
Caroline du Nord
Tennessee
Arkansas
Caroline du Sud
Mississippi
Alabama
Géorgie
Floride
Louisiane
1
4
12
49
55
3
38
46
21
7
42
32
16
51
47
25
17
27
36
52
53
8
31
30
39
2
20
22
33
28
29

Janvier 2010

Graine d'astronaute

L'heure est au bilan.

La planète Terre fait 40 075 kilomètres de périmètre à l'équateur.

La Lune met 27 jours, 7 heures, 43 minutes et 11,5 secondes à en faire le tour.

À deux chauffeurs, nous arrivons à être presque aussi rapides. C'est que la Lune, elle, ne prend jamais congé !

Depuis 10 ans, j'ai fait 75 fois le tour de la Terre en camion.

Je n'aurais jamais pu imaginer que j'étais de la graine d'astronaute !

1

Lieu : Île-du-Prince-Édouard
Juillet 1979

La graine du voyage

Tout a commencé le jour où j'ai trouvé ce fer à cheval sur l'île du Prince-Édouard, à 1000 kilomètres de la maison. Je devais avoir six ans. Je n'ai pas su tout de suite de quoi il s'agissait, mais, à voir les étoiles dans les yeux de ma cousine et les subterfuges couverts de miel qu'elle a utilisés pour me le ravir, j'ai su que c'était exceptionnel.

— Un fer à cheval ! s'est-elle exclamée. Ça porte bonheur !

Je n'en avais encore jamais vu, mais je savais que c'était rare, aussi rare que les gens qui se déplacent à cheval à l'ère de la voiture. Je savais déjà que la chance de tomber sur un vieux pneu était bien plus grande que celle de rencontrer un fer à cheval sur ma route ! Car, de la route, j'en avais déjà fait pas mal pour mes six ans à dos de *station wagon*, entourée de sièges de bébé, à parcourir le Québec et les provinces voisines pour visiter la famille, pour voir la mer, pour faire du camping.

J'aimais partir en voyage tous les étés en famille avec la tente-roulotte, faire des trouvailles extraordinaires, ramasser des coquillages, des pots de sable, des roches qui brillent, en me faisant croire que c'étaient des pépites d'or. Je ne rapportais pas que des objets de la nature, mais aussi des sons, j'aimais imiter le chant de l'oiseau moqueur ou du huard pour mes amis, je m'exerçais dans la forêt, j'attendais qu'ils me répondent. Et ils me répondaient ! Alors, je riais fort et je me moquais encore plus de l'oiseau qui voulait se moquer de moi. J'improvisais des concerts avec un couple de huards au petit matin, sur un lac encore fumant de rosée.

J'apprenais en observant les grands-oncles qu'on visitait dans leurs villages pendant nos longs pèlerinages estivaux. Je scrutais tout ce qui m'entourait à la recherche de nouveau, pour remplir ma tête de trésors, comme les pirates leur coffre-fort. Le moment qui me rendait le plus heureuse est sans doute celui où, racontant mes découvertes, j'apercevais une étincelle dans les yeux de mes proches, comme si j'avais eu le pouvoir de les envoûter par mon propre ravissement.

J'ai appris comment décupler mon bonheur en partageant mes petites aventures. J'ai compris à quel point le récit de la découverte d'un objet a un bien plus grand intérêt que l'évanescent plaisir de le posséder. Combien d'histoires pouvais-je raconter juste au sujet d'un caillou ou d'un fer à cheval trouvé sur un chemin de terre ?

J'avais donc découvert un véritable trésor qui me permettait de susciter l'émerveillement de ma famille et de mes amis. J'avais le pouvoir de les faire rêver ! Exercer ce pouvoir me remplissait de bonheur et nous partions tous dans un monde imaginaire, connectés par cette bulle. Rien n'a changé depuis. J'aime faire rêver, souffler doucement dans le savon pour créer des bulles dans lesquelles le soleil fait miroiter des arcs-en-ciel, des bulles qui éclatent en nous éclaboussant le visage pendant qu'on pouffe de rire. On dit du rêve qu'il est déconnecté de la réalité. Moi, j'ai plutôt l'impression qu'il me permet de communier avec les autres en propageant les sourires et les lueurs de contentement dans les yeux.

Je sais maintenant que je peux provoquer la même réaction avec des mots. Ils ont un grand pouvoir, le pouvoir du rêve, le pouvoir de créer des bulles. Sentez-vous la bulle qui nous emporte au loin ?

La lune est une si belle destination. Surtout quand on y monte en bulle.

En rentrant de ce voyage, j'ai pris soin de mon fer à cheval comme s'il s'était agi du plus grand trésor. Peu importe que ce soit un fer de poney, la légende de saint Dunstan ne précisait pas la grandeur de l'animal qui devait le chausser pour me porter bonheur à moi. Je l'ai toujours, accroché au-dessus de ma porte, comme un symbole de l'aventure, comme un symbole de mes découvertes. J'aime à croire qu'il est mon étoile, qu'il me porte bonheur.

Lieu : Arkansas, direction ouest
Destination : Laredo, Texas
Cargaison : sécheuses
Température : nuit claire où j'ai envie de lever les yeux et de tendre les bras vers le ciel pour absorber l'énergie de l'univers
Mars 2007

Histoires de lune

Cette nuit, si la lune avait été un miroir, elle m'aurait renvoyé l'image de milliards de gens qui la regardent, attendant qu'elle s'éclipse. Ce soir, le ciel de l'Arkansas s'est dégagé comme s'il savait que c'était une occasion spéciale. J'aperçois notre satellite blanc dans mon rétroviseur, il est au bout de la route à l'est, alors que je roule franc ouest. J'anticipe le spectacle et, en guise de première partie, la lune me remémore un souvenir d'enfant. Comme chaque fois que je la regarde, j'entends la voix de mon père :

— Cette nuit, le petit garçon est venu bûcher la lune avec sa hache ! nous disait-il, les yeux droit dans les nôtres, sur notre grande galerie les soirs d'été.

C'est ce qu'il nous racontait, menteur comme je l'aime, quand on observait la lune coupée en quartier. Il n'était pas un de ces menteurs couverts de honte de voir leur nez s'allonger, non, il était de cette catégorie de menteurs qui envoient des éclairs de magie, avec leurs yeux qui se mettent à pétiller comme ceux des enfants impressionnés.

Et je souris encore quand, dans mon rétroviseur, le vrai spectacle débute. La lune toute blanche commence à se tacheter de points noirs, elle s'éclipse doucement dans l'ombre de notre vaisseau spatial. Elle passera une heure à l'ombre d'un parasol luminescent tout bleu : notre Terre. La lune qui m'apparaissait énorme au bout de ma route devient si petite que nous arrivons à la faire disparaître. Et puis, soudain, nous avons la preuve que nous existons, notre ombre l'écrit à l'encre noire sur notre satellite lunaire.

À mesure que la boule blanche disparaît, les étoiles s'allument, comme si on avait éteint la lumière pour leur laisser toute la place. Elles scintillent à leur tour, par milliards. Je m'arrête en bordure de la route pour aller les écouter. Elles font un bruit de grillons. Et là, la lune se met à rougir ! Peut-être parce que nous la rendons timide à force de l'admirer. Un rouge flamboyant qui n'éclaire pas comme le soleil, mais qui impressionne plus, parce que c'est une grosse sphère rouge dans un ciel tout noir. Je reprends la route, avec ce spectacle incroyable dans la tête. J'ai hâte d'entendre les commentaires des spectateurs qui avaient la chance d'être aussi bien placés que moi, calés au fond d'un siège sous un ciel sans nuages et sur une route sans lumière. Moi, je sais déjà que je leur raconterai que c'est un des plus beaux spectacles auxquels j'ai assisté.

Aujourd'hui, quand j'observe la lune qui fait des quartiers, je sais bien que mon père nous menait en bateau, mes frères, ma sœur et moi : à observer la ligne si fine du croissant de lune, je sais qu'elle n'a jamais pu être dégrossie à la hache ! Ah, ça non ! Moi, je sais. Le petit garçon n'a jamais eu de hache ! Pour que la coupe de la lune soit si nette, il a toujours travaillé avec une scie sauteuse. C'est plus précis. Maintenant, il faut que j'essaye de faire avaler ça à mon père, qui m'a transmis ses éclairs de magie dans les yeux. Quand il viendra me voir avec maman, on va se faire un petit combat de menteries ! Et peut-être m'expliquera-t-il à sa façon comment la lune s'éclipse. J'aurai toujours envie de le croire parce que le monde devient merveilleux avec ses histoires.

Ma première idole

Enfant, j'avais une idole. Une petite fille rousse pleine de taches de rousseur, autonome, indépendante, qui faisait fi des conventions et qui défrichait son propre chemin, elle a défriché le mien. Elle était dotée d'une si grande force qu'elle était capable de soulever son cheval à bout de bras en souriant! Elle avait des cheveux en brins d'acier. Si Fifi pouvait me voir aujourd'hui, elle serait étonnée de ce qu'elle m'a inspiré, et de constater que j'ai suivi sa trace. Elle pourrait monter avec moi sur mon cheval d'acier et, toutes les deux, nous entreprendrions un grand voyage sur le continent, comme son pirate de papa sur les océans. Elle et moi, avec un regard complice, nous enfoncerions les archétypes en riant, au nom de la liberté, pour notre plus grand bonheur.

Jamais je n'aurais cru que je vivrais mes aventures à bord d'un carrosse d'acier de 40 tonnes, un carrosse attelé de 450 chevaux-vapeur. Un carrosse ferré de 18 roues, filant à 100 kilomètres à l'heure sur les autoroutes de l'Amérique.

À cause de la force d'attraction de l'horizon, je suis devenue nomade. Une nomade qui marche sur les talons de l'économie, à dos de camion. Avec lui, je vais là où les chargements me mènent, comme un Touareg qui, dans le désert, suit l'eau et la nourriture pour son dromadaire. À mon réveil, je suis ailleurs, dans une autre ville, un autre climat, un autre paysage. Il y a des jours où la neige m'aveugle, il y a des jours où les cactus me donnent envie de m'étirer au soleil. Par les hublots de ma petite capsule, tandis que je file sur le continent, s'entrecroisent les saisons, les personnages et les paysages de l'Amérique. J'aimerais vous y emmener avec les mots.

Si je pouvais me réincarner,
je me ferais parachuter aux
côtés d'Antoine de Saint-Exupéry.
Dans son avion courrier, on
traverserait le temps et, après,
je l'emmènerais dans mon camion.

Il n'y a pas de travail qui soit
réservé aux hommes, il n'y a
que des femmes trop réservées.

3

Ville : Brownsburg, petit village au nord de Montréal
Destination : sud de l'Indiana
Cargaison : dynamite
Température : ciel bleu, couleurs d'automne, brise à chair de poule
Octobre 2010

La marche des grands-mères

Les oiseaux bruissent et les feuilles chantent. Je me dépêche d'aller fermer les portes de ma remorque pour que le frisquet ne me prenne pas. Il commence à faire frais mais, moi, je ne porte rien de plus chaud que d'habitude, parce que cette mission me fera prendre le large vers le sud bien avant que le froid atteigne mes os. Sur le trottoir de l'autre côté de la rue, deux vieilles dames marchent. Elles me font sourire parce qu'avec leurs manteaux et chapeaux de laine, elles sont parfaitement assorties aux couleurs des érables ! Du jaune, du rouge, du rouille, du brun. J'inspire une grande bouffée d'air qui sent les feuilles qui tombent. C'est peut-être une de leurs dernières balades de l'année avant d'hiberner dans leur maison bien chauffée. Quand elles me remarquent alors que je m'apprête à remonter dans ma cabine, elles s'arrêtent. Elles s'animent et se mettent à papoter, tout excitées ! J'abandonne mes gants et mon marteau sur le marchepied et je vais à leur rencontre.

— Bonjour ! dis-je d'un ton joyeux en tendant la main.

Elles sont si contentes qu'elles me saisissent les avant-bras en continuant de les secouer ! Leurs sourires me comblent, juste avant de fixer ma solitude pour les prochains jours sur les lignes de l'autoroute. Nous nous présentons. Elles sont sœurs, je l'aurais deviné.

— Tu conduis ça toute seule ? Un petit bout de femme comme toi ! lance Berthe, celle avec le bonnet, sur un ton maternel.

Je n'ai pas le temps de répondre que Marie-Claire renchérit :

— Soooda ! Tu dois être forte comme un bœuf ! fait-elle en me palpant un biceps.

Je le durcis en serrant les dents, et je joue à rugir comme un pugiliste, jusqu'à ce qu'on éclate de rire toutes les trois. La chaleur de notre échange me fait oublier le froid qui commence à piquer.

— Ça ne prend pas tant de force que ça ! C'est surtout le camion qui doit être fort physiquement, c'est lui qui traîne les 40 tonnes !

Elles écoutent en faisant osciller leur tête, de moi au camion en revenant à moi, comme pour y croire.

— Et puis, je ne charge jamais le camion moi-même, c'est toujours le client qui le fait avec des machines. Moi, je m'assure que c'est bien fait et que ça ne bougera pas en chemin.

— Ça ne doit pas être facile à reculer, une pareille machine ! Elle a combien de roues ? demande Berthe, qui semble être la plus âgée des deux.

Elle observe mon camion comme si elle voulait le conduire aussi. Je devine une partie de leur histoire sous leurs bonnets tricotés.

— Il a 18 roues ! J'ai besoin de quatre voies pour tourner un coin sans arracher un poteau… Votre village n'est pas vraiment conçu pour les camions du gabarit du mien ! J'ai eu toute la misère du monde à tourner vos coins de rue, j'ai même dû faire reculer les voitures !

Berthe regarde ma bête, du museau à la queue.

— Je n'en reviens pas que tu conduises un gros camion d'même !

À son étonnement, je réponds avec un sourire.

Elle fixe son regard sur l'usine derrière moi, et poursuit en fronçant les sourcils :

— C'est une vieille usine ! Pendant la Deuxième Guerre mondiale, on avait 17 ou 18 ans, on travaillait là. On fabriquait des munitions pour fournir l'armée. On était 4000 ! Quasiment rien que des femmes. Y avait tellement de femmes que les hommes voulaient fuir le village !

Et elle éclate de rire.

C'est contagieux.

— Vous fabriquiez des munitions dans cette usine ? Eh bien ! Quelle idée de construire une usine d'explosifs en plein village !

— Cette usine-là nous a toujours fait manger. On a toujours vécu parmi les bombes ! Faut croire que, le danger, on le voit avec ses propres craintes.

Alors qu'elles me racontent un bout de leur jeunesse où elles travaillaient dur à l'usine, je suis aussi étonnée de leur travail qu'elles le sont du mien. Nous nous regardons, chacune à travers une lorgnette, et, à l'autre bout, tout nous paraît bien difficile, vu par le filtre de nos propres préjugés. J'ai du mal à trouver le recul pour comprendre ce qui impressionne tant les gens qui me voient au volant de mon camion. Peut-être est-ce parce que je suis le capitaine de mon navire et que mes patrons sont si loin que je ne sens jamais leur souffle dans mon dos. Ou peut-être est-ce parce que je maîtrise une bête virile et puissante avec des chaussures roses et de longs cheveux bouclés.

— On n'a pas coutume de voir des femmes ! déclare Marie-Claire, la dame au béret, en regardant sa sœur pour chercher l'appui de son bonnet. On est habituées à voir des hommes costauds dans leurs gros camions, ça ne doit pas toujours être facile de travailler dans un milieu d'hommes ! À l'usine, au moins, on n'était rien qu'entre nous autres !

— Moi, j'ai l'impression que ce sont les gens qui ne sont pas du milieu qui sont surpris de me voir ! Parce que, dans ma compagnie, on est à peu près 30 % de femmes, mais j'ai lu qu'on est 4 ou 5 % de femmes au total.
— Eh ben, c'est pas mal de femmes quand même ! On n'en voit pas souvent au village ! répond Berthe.
— T'as pas peur de partir toute seule ? demande Marie-Claire.
— On travaille surtout en équipe de deux, mais quand je conduis, mon partenaire dort la plupart du temps. Je pars aussi en solo parfois. Je n'ai pas peur, pas plus qu'un homme. Je sais que, si je suis en difficulté, je pourrai compter sur d'autres camionneurs, il y a une grande fraternité. Avec l'expérience, j'ai appris à me débrouiller toute seule, mais, quand j'ai besoin d'aide, il y a toujours de bons samaritains prêts à me donner un coup de main.
— Ça fait longtemps que tu fais ça ? lance Berthe.
— Ça fait 10 ans.

— T'as l'air toute jeune ! As-tu des enfants ? dit Marie-Claire.
— J'ai 34 ans, mais je n'ai pas encore d'enfants.

Quand elles avaient mon âge, Berthe et Marie-Claire avaient, à elles deux, un total de 15 enfants. La différence me frappe de plein fouet. Le sacrifice de ma vie personnelle mis en parallèle avec le sacrifice de leurs rêves individuels. Il y aura toujours une part de résignation dans les choix qu'on fait. Qui est le plus heureux au final ? Je ne saurais le dire. Je trouve ma place dans ce monde en partageant mes découvertes, en faisant bouger les sédentaires l'espace d'un voyage imaginaire, avec un métier qui fait de moi l'égale de mes collègues.

— Jusqu'où tu vas avec ton gros camion ?
— Je vais où les chargements me mènent ! Partout en Amérique du Nord ! J'ai parcouru pas loin de 3 000 000 de kilomètres dans toutes les provinces et dans tous les États. Cette fois, je vais en Indiana avec votre dynamite.
— Trois millions ! C'est du kilométrage, ça !
— C'est comme si j'avais fait 75 fois le tour de la Terre en 10 ans !
— En tout cas, nous autres, on te dit chapeau, on est pas mal fières ! Maintenant que je te vois, et que je sais que c'est possible, j'aurais bien aimé ça, moi aussi, conduire des camions ! affirme Marie-Claire en me frictionnant de nouveau les avant-bras.

Je suis touchée. Je songe à la façon dont les mentalités ont évolué depuis le début du siècle. Les femmes, petit pas par petit pas, ont pris leur place. Un peu malgré elles, Berthe et Marie-Claire, nées avant que les femmes aient le droit de voter au Québec, m'ont permis de donner un grand coup d'accélérateur pour rouler à la même vitesse que mes compagnons, au volant de mon gros camion.

— Merci ! Merci ! Moi aussi, je vous lève mon chapeau !

On s'est embrassées en se souhaitant chance et santé, et je suis retournée à mon camion. Je l'ai démarré, lentement, en regardant mes grands-mères qui poursuivaient leur marche vers l'avant. Elles se sont arrêtées, on s'est saluées une dernière fois et elles m'ont laissée passer. Je les ai suivies dans mon rétroviseur et j'ai tourné le coin, en prenant les quatre voies.

Tandis que les arbres
s'effeuillent au vent au Canada,
moi, j'enlève des couches en
commençant par les bas.
Tiens ! Et pourquoi pas la veste ?
Oui, il fait bon !

Je vous nargue à mesure
que je largue des vêtements.
Veste et chaussettes disparaissent, mais sur mon visage
apparaissent des grimaces à
mes amis du Nord.
Gnan ! Gnan !

Une coccinelle m'accompagne,
je la prends dans une ville et
je la dépose dans une autre.
Transport en commun.

4

Ville : Alma, Québec
Température : soir d'été
Août 1984

L'effet papillon rose

Papa travaillait dans le quartier industriel. Il m'arrivait d'aller le chercher avec maman, ma sœur et mes frères. Cette fois-là, chemin faisant, j'ai aperçu une gigantesque nuée de papillons qui volaient dans un champ. Au retour à la maison, j'ai avalé mon souper en vitesse et j'ai enfourché ma bicyclette pour aller les voir de plus près.

Sur le terrain en friche, plein de ronces et de plantes sauvages, je me suis avancée jusqu'à ce que des centaines de papillons jaunes se mettent à danser tout près de mes oreilles.

J'ai levé les bras pour les flatter en vol, le soleil m'aveuglait. Alors, j'ai tourné mon regard vers une fleur, et je l'ai vu : mon papillon rose. Rose tendre, rose pâle. Il était tout seul parmi les jaunes.

Je me suis accroupie et je l'ai observé de longues minutes, mes yeux plongés dans les siens. Il bougeait ses antennes vers moi, j'inclinais ma tête vers lui. Nous étions fascinés l'un par l'autre.

Puis, je l'ai laissé s'envoler sans lui prendre les ailes, parce que je ne pouvais pas le ramener sans le faire mourir, il n'aurait pas supporté le voyage auquel je le conviais. Il préférait papillonner en solo.

Je me souviens du moment où j'ai levé les yeux pour le regarder partir vers l'horizon. J'ai commencé à voir plus loin devant, toujours plus loin, vers l'infini. Et j'ai su que je voulais partir aussi. Comme mon papillon. D'abord de ma région natale, pour m'installer dans la grande ville, ensuite de Montréal, pour voyager sur le continent.

Le souvenir de ma rencontre avec ce papillon rose reste encore vif. Quand j'y repense, ça me fait sourire. J'ai souvent cherché à le rencontrer de nouveau, mais je ne l'ai jamais revu. Ni aucun autre papillon rose d'ailleurs.

Les instants de grâce ne se planifient pas.

Lieu : I-70, direction ouest, juste avant Denver, Colorado
Destination : Alberta
Cargaison : pneus
Température : à faire briller les tableaux du ciel
Septembre 2006

Un matin par mes fenêtres

Dans les ombres bleutées du matin, deux chevreuils courent à vive allure. Quand je les rattrape, ils s'arrêtent net ! Ils nous regardent passer. Le soleil n'est pas encore tout à fait levé et des camions ronflent dans les *truck stops*, mais il faut dire qu'ici, dans le fuseau des montagnes, les six heures n'ont pas sonné. Les tournesols à la tête lourde attendent que la lumière monte pour la suivre, comme une couvée de canetons talonnant leur mère. Au-dessus de ma route, un V de bernaches entreprend son réchauffement, et la boule de feu se montre enfin pour nous accompagner. Doucement, le bleu de la nuit fait place aux nuances de bleu-gris. Un spectre rouge rosit les nuages. Puis, le soleil s'installe à la hauteur parfaite : celle où il fait apparaître les détails sculptés sur le dos des moutons allongés dans l'azur, celle où les peintures célestes prennent une troisième dimension.

Dans le ciel existe un tableau qui se renouvelle à l'infini.

Que j'aime les levers du jour ! Que j'aime rouler vers l'ouest, avec le soleil dans le dos faisant irradier le paysage qui avance avec moi !

Quelques touches de vert dans les champs s'ajoutent à la toile. Les ombrages sombres disparaissent et les arbres reprennent vie en s'habillant de leurs couleurs du jour. Je rattrape un train rampant dans la plaine, puis une voiture du Colorado me dépasse, la première depuis des heures. Sur sa plaque d'immatriculation, des montagnes à la toison blanche, c'est l'emblème de l'État. À cet instant précis, je lève les yeux vers l'horizon et je les aperçois, réelles. Les Rocheuses ! Celles-là mêmes que j'effleurais, sur mon premier globe terrestre, pour sentir leurs crêtes sous ma paume. J'avais la sensation de partir en voyage. Elles sont là ! En vrai ! J'ouvre la fenêtre pour les palper. Ma main vole et suit le relief de leurs pics. La fraîcheur du vent me donne l'impression de toucher l'éternel de leur neige. Un aigle me défie du regard, perché sur un poteau, sa tête piste ma trajectoire, mais je me fous de piler sur son territoire, la terre m'appartient aussi ! Me voilà naviguant sur le premier pli des Rocheuses en suivant la trace des bisons disparus. C'est à mon tour de vrombir comme un troupeau dans la plaine avec mon mastodonte !

Les gratte-ciel de Denver annoncent la fin des plaines. Je mets le cap sur le nord. L'autoroute 25 s'aligne sur les sommets des montagnes sans jamais les atteindre. La blancheur de leurs sommets se confond dans les nuages.

Ceux qui méprisent mon métier n'en connaissent rien, qu'ils retournent à leur bureau, moi, je garde le mien !

Lieu : plaine du Nebraska, I-80, direction est
Cargaison : fraises
Température : veste polaire, brise légère
Septembre 2008

Elle parle avec les tournesols

Septembre. Le soleil réveille la plaine du Nebraska vers 9h, il rosit mon horizon, puis s'élève doucement pour effacer ma nuit. Je m'étire en même temps que le paysage, je souris à la résurrection des couleurs, le pire est derrière moi avec la nuit qui s'en va. J'attendais ce moment depuis 500 kilomètres, depuis 3h du matin, depuis le Wyoming que j'ai quitté dans le noir, à lutter contre la nuit, à faire vagabonder mon esprit. Le lever du jour représente un instant de joie dans ma journée, une illumination, surtout quand je roule vers l'est et que les rayons m'en mettent plein le pare-brise. Je fais une pause dans une halte routière, attirée par un champ de tournesols qui m'apparaît comme le flambeau du jour. J'ai une folle envie d'y courir ! Je traverse la clôture de barbelés sans freiner mon élan et je fonce toute joyeuse jusqu'aux tournesols. Quand j'arrive tout près, je m'arrête. Le souffle coupé. Trop impressionnée. Face à moi : une armée de géants aux visages rayonnants. Ils sont plus grands que moi ! Je les sens m'envelopper comme une mer, alors moi aussi je lève les bras au ciel et je ferme les yeux, tournée vers le soleil.

Moment de grâce.

Je laisse la béatitude de l'instant m'envahir, toute seule au milieu des sentinelles qui embrassent la lumière du matin. Quand j'ouvre les yeux, je tourne sur moi-même et les tournesols semblent baisser la tête comme pour m'examiner, comme pour me demander ce que je fabrique parmi eux.

— Une photo, dis-je. Je veux vous saisir en photo, pour ne jamais vous oublier, pour vous partager.

Alors, je sens les sourires sur leurs visages, j'en prends quelques-uns par les épaules et nous nous photographions jusqu'à en être rassasiés.

Je ne les reverrai plus. Dans quelques semaines, ils n'existeront plus, on les aura déjà pris pour ce qu'ils sont : une nature généreuse, pour leur huile et pour leurs graines.

Beauté, simplicité, authenticité.
Toutes les qualités du bonheur.

Je remonte en selle. Un tableau de Van Gogh se peint dans ma tête.

Je roule vers l'horizon
nouvellement né, rose et bleu
comme des pyjamas de bébés.
Je maintiens le cap à l'est.
Bonne journée !

John Deere fait un BBQ
sur ses pelouses.
Des fermiers mangent du maïs
jaune, les pieds dans le gazon
vert. Jaune et vert. Comme
les couleurs des tracteurs
qu'ils convoitent.

Lieu : autoroute 75, Michigan
Destination : St. Thomas, Ontario
Cargaison : chassis de véhicules Hummer
Température : chauffage dans le tapis, pyjama de flanellette, douillette de duvet et oreiller bombé
Octobre 2006

Le réveil de la route

2 h 45 du matin

Badang ! Badang ! L'assiette du four à micro-ondes est ballottée comme un cadran qui sonne. Je me réveille en retenant mon souffle pour éviter de le perdre à chaque secousse. Je sais qu'on est arrivés dans le Michigan, je connais les rebonds de la 75. Le tracteur et la remorque suivent la houle de l'autoroute de béton, affaissée par le gel et le dégel.

À intervalles réguliers, une fissure traverse la voie, et il y a des trous gros comme des nids de dinde de Thanksgiving ! Les brêches sont à peine colmatées avec un bitume de mauvaise qualité. Dans mon lit, je les sens comme des vagues sur une mer agitée. Les ressorts du matelas s'enfoncent dans ma chair. La cabine est secouée. Mon corps se crispe pour éviter les coups, il n'a pas le temps de se décontracter entre les soubresauts. Les coups viennent sans donner de répit. Je suis mise K.O. Les routes du Michigan sont de véritables instruments de torture. Vingt minutes à se faire cahoter ainsi, impossible de me rendormir… De toute façon, je dois me lever pour traverser la frontière à Détroit. Le calme reviendra au Canada. Qui a dit que les routes sont plus belles chez le voisin ?

Près du Mexique les monarques arrivent. Épuisés de leur 3000 kilomètres de migration, quelques-uns s'affalent sur mon pare-brise.

Nous avons mis deux jours pour les rattraper et deux autres à les ramener au Nord écrasés sur notre radiateur. Triste fin.

St. Louis, Missouri
Je reconnais les gars du Texas, ils ont déjà mis leur tuque ! Les gars de la Californie sont encore en bermudas.

Moi du Nord, je n'ai presque rien changé : jeans, casquette, veste polaire auxquels j'ajoute des chaussettes en mohair.

Timmins, Ontario
Première neige. J'ai envie de m'y coucher pour faire des papillons, en hommage aux monarques qui ont fini leur course sur mon camion.

Les flocons, comme des papillons du Nord, s'écrasent sur mon pare-brise. Ce sont mes premiers de l'année.

Ville : Memphis, Tennessee
Destination : Toronto, Ontario
Cargaison : pneus
Température : gris dans le ciel, soleil dans la tête
Octobre 2006

Courir les autoroutes

Tard dans la nuit, mon collègue a accosté au quai de déchargement du client, à Memphis, au Tennessee. Pourtant, ce matin, je me réveille avec l'impression d'être au large de l'embouchure de la rivière Saguenay : mon camion se prend pour une baleine qui souffle à la surface de l'océan :

« Kshhhhhhhhhh !.........................Kshhhhhhhh ! »

Le chariot élévateur pénètre dans son ventre, le soulageant de son chargement, et, chaque fois qu'il remonte sur le débarcadère, la suspension pneumatique du mastodonte s'ajuste et reproduit le son d'un rorqual qui expire lentement. Je souris toute seule, je n'ai personne avec qui partager ce tour de mon imagination, mon partenaire dormira profondément jusqu'à midi sur la couchette du bas.

Dès que ma baleine a la panse vide, je repars naviguer quelques kilomètres vers le sud. Une remorque déjà chargée pour un grand magasin de Toronto nous attend. Avec cette nouvelle cargaison, je replonge dans le vaste océan de bitume pour rentrer au pays. Je converge en banc avec les autres camionneurs, chacun dans son habitacle, chacun dans sa solitude, remuant parfois les lèvres pour murmurer les paroles d'une chanson, comme des poissons dans des aquariums roulants. Les feux rouges des remorques m'hypnotisent, les véhicules en sens inverse me magnétisent. Pour moi, la pure liberté, c'est d'avoir sa tête entièrement à soi. Conduire un camion sur les autoroutes, c'est libérer son esprit. Mes pensées peuvent vagabonder comme bon leur semble, rien ne vient les déranger. Et même si je suis toute confinée dans ma minuscule capsule, la route possède le pouvoir de me mettre dans cet état méditatif où j'arrive à agrandir mon espace mental à force de la regarder, droit devant. Je garde le cap comme un capitaine et je pense. La route m'absorbe. La route m'inspire.

Tandis que mes ancêtres troquaient les fourrures aux postes de traite, je transporte mille et un trucs pour les usines et les commerces des Amériques. Comme eux, je vis des vivres que je transporte. Pour les mêmes raisons qu'ils ont couru les bois au XVIIe siècle, je cours les autoroutes en quête d'aventures et de découvertes.

NOVEMBRE

Mois des morts et des souvenirs de guerre, temps morne et mortifère.

Un cardinal rouge et un geai bleu apparaissent comme des arcs-en-ciel.

Longlac, Ontario.
Les lièvres ont déjà leur fourrure blanche, mais pas le paysage. Ils attendent la neige comme la vie. Question de survie.

Sur mes ongles, j'ai mis du vernis bleu électrique. Quand je vois mes doigts sur le volant. Ça met un peu de couleur en avant-plan. Dix petits bouts d'azur pour narguer le ciel gris.

Lieu : quelque part sur les autoroutes des États-Unis
Destination : Medecine Hat, Alberta
Cargaison : produits variés
Température : temps de chien qui grogne et qui jappe
Novembre 2006

Faire accélérer la planète

Quand je reviendrai chez moi, au bout de ce voyage, nous aurons fait 12 384 kilomètres en moins de 10 jours. Depuis Memphis, nous sommes remontés à Toronto avec des biens dont on n'a vu la couleur que sur papier parce que la remorque portait un sceau de sécurité, après quoi nous sommes redescendus tout près de la Floride avec, à notre bord, du nylon filé à Kingston en Ontario, que nous avons livré dans une usine de tapis du sud de l'Alabama. Et de Montgomery en Alabama, nous sommes retournés à Toronto avec des pièces de quincaillerie qui provenaient de partout : de Taiwan, de Chine, de l'Inde et des États-Unis, tout ça pour fabriquer de malheureuses portes ! Et maintenant, depuis Tonawanda dans l'État de New York, nous voilà partis pour l'Ouest avec des matériaux bruts servant à fabriquer des pneus. Selon nos prévisions, nous devrions être à Medecine Hat, en Alberta, dans 40 heures.

Il fait un temps de chien méchant depuis des jours ! Le vent nous pousse vers le sud tandis que nous roulons vers l'ouest, mon camion a peine à résister, je tiens son volant bien serré tandis qu'il tangue vers bâbord. Pourtant, j'aimerais m'y laisser porter comme sur un voilier, mais le sud n'est pas notre destination. Nous remontons lentement les fuseaux horaires sur un même parallèle et, par chance, nous délaissons la pluie et le gris qui semblent recouvrir tout l'Est. Les nuages sont absents du Minnesota et nous filons dans le décor bucolique de la

Petite maison dans la prairie! Tiens! ça me donne envie de me faire des tresses comme Laura Ingalls!

Courir sur le globe, c'est ce que je fais! Je me demande si je ne suis pas en train de faire accélérer la planète comme un tapis roulant, à force de courir dessus. Justement, cette nuit, on a dû reculer l'heure… À croire que c'est vrai!

ROUTE DU BOUCLIER CANADIEN ___

Veines et nervures dans
le granit. Rose et gris anthracite.
C'est ce que le Bouclier
canadien a dans les tripes.

Sur le sillon creusé dans
le roc, je roule. Il fait noir.
Parfois mes phares éclairent
les caps rocheux.

Épinettes, bouleaux.
Bouleaux, épinettes.
Copier-coller un milliard
de fois de chaque côté.
C'est la route 17 entre Nipigon
et Sault-Sainte-Marie.

Un amish en carriole tirée
par un seul cheval : 5 km/h.
Une camionneuse en camion tirée
par 450 chevaux-vapeur : 100 km/h.
Deux espaces-temps se croisent.

Dépasse un cycliste qui ne fait
qu'un avec la route. Lui sait
ralentir le temps et respirer
le paysage.

Chacun sa passion. Monster
Muffler à Sault-Sainte-Marie,
lui, ce sont les silencieux de
voiture. Il les aime tellement
qu'il en fait des sculptures.

No fishing from bridge. Alors, on
va plonger. Blind River, Ontario.

Ville : Drumheller, Alberta, capitale mondiale des dinosaures
Cargaison : pneus
Température : froid comme le sang d'un reptile
Novembre 2007

Chatouiller les dinosaures

Les paysages qui défilent par mes fenêtres se transforment au gré de mon imaginaire. Parfois, j'ai l'impression de nager dans un fond marin ou de naviguer sur la mer. Ce matin, je me plais à imaginer que je rampe sur les dinosaures. Le soleil se montre doucement le bout des rayons et je les aperçois couchés dans les montagnes. Les collines de l'Alberta m'évoquent la peau des reptiles, beige froid et gris verdâtre. Mon camion et moi, nous jouons au serpent sur la route qui s'engouffre dans une crevasse, sur les traces des bêtes disparues, fossilisées dans les entrailles de cette région du continent. Elles dorment encore, lovées dans les badlands[2]. Je les vois presque respirer, au rythme de la brise qui fait danser les herbes folles sur leur dos dénudé, comme si c'était leur petit duvet de poil. Leur peau est toute ravinée en rigoles, et la lumière du matin accentue ses reliefs. Nous leur chatouillons le dos sur notre passage, alors elles se mettent à frémir, comme si j'arrivais à déplacer les montagnes ! À 90 kilomètres à l'est de Calgary, je ralentis la cadence de mon reptile à 18 roues, parce que j'entre dans la capitale mondiale des dinosaures : Drumheller, étendue le long de la Red Deer comme les couches d'argile et de grès. Il y a ici le Royal

2. Terres dénudées, ravinées et érodées par le ruissellement de l'eau, les badlands forment des paysages impressionnants, marqués par un réseau complexe de ravins profonds, étroits et sinueux, et parfois de cheminées de fée aux formes fantastiques. Les pentes fortes, souvent escarpées, criblées de rigoles et quasi dépourvues de végétation, sont des témoignages éloquents des forces de l'érosion. Pour les colons européens, de telles régions n'offraient aucun intérêt. Le terme « badlands » vient peut-être de l'expression française « mauvaise terre à traverser », les Français ayant été parmi les premiers à explorer ces régions de l'ouest de l'Amérique du Nord.
(Source : http://www.thecanadianencyclopedia.com)

Tyrrell Museum of Palaeontology, qui possède la plus grande collection de dinosaures complets de la planète! Deux cents squelettes entiers y sont exposés, attirant 450 000 visiteurs chaque année. Le musée est si important qu'un programme intensif de collection et de recherche en paléontologie y a été instauré. Les paléontologues les plus passionnés du monde peuvent exercer leur métier sur des centaines de sites d'ossements de la région. Le Royal Tyrrell Museum travaille en collaboration avec les universités de Calgary et de l'Alberta, envoyant même leurs chercheurs en expédition en Afrique du Sud, dans le désert de Gobi et dans l'Arctique canadien pour compléter leurs travaux. Les habitants en sont si fiers que, devant leurs maisons, ils exposent des modèles réduits d'albertosaures, de tyrannosaures, de tricératops, de camarasaures ou d'ornithorynques qu'ils ont bricolés eux-mêmes et peints de couleurs gaies, contrastant avec les gris du panorama. Ces œuvres d'art, naïves, sont si laides qu'elles en deviennent sympathiques!

Les scientifiques n'ont jamais pu dire avec certitude si les dinosaures avaient le sang chaud ou le sang froid. En tout cas, ici, à Drumheller, ce sont eux qui réchauffent le paysage morne et les bicoques délabrées. Le village semble désert, si je ne compte pas les géants qui se dressent partout. À croire qu'ils en ont dévoré les habitants! Il y a d'abord cet immense carnivore – sans doute un albertosaure – qui se tient debout en plein centre du patelin. Du bout de sa queue part un escalier grâce auquel on peut monter jusque dans sa bouche pour voir loin dans les badlands, et peut-être même apercevoir des fées dans les cheminées[3] aussi fantaisistes que celles de Gaudí à Barcelone.

3. Une cheminée de fée est une grande colonne naturelle, faite de roches friables, le plus souvent sédimentaires, et dont le sommet est constitué d'une roche plus résistante aux effets de l'érosion. Ces formes, parfois étranges, sont à l'origine de nombreuses croyances et légendes. (Source: Wikipédia)

On dit que les explorateurs français ont nommé cette région « mauvaises terres » parce qu'ils ne voyaient pas ce qu'ils pourraient en tirer, et parce qu'elle était dangereuse à traverser. Ici, on ne peut presque rien faire pousser – à part peut-être des cheminées de fée, si l'on a quelques millions d'années à éroder devant soi –, mais le jour où l'on a cessé de vouloir cultiver ce sol et où l'on s'est plutôt mis à explorer ses entrailles, on a découvert ses trésors enfouis. La vie dans les badlands, c'est du passé préhistorique. L'argile et la silice ont préservé les squelettes des dinosauriens, et le temps a façonné les sables bitumineux. Deux richesses qui font vivre les habitants d'aujourd'hui. Finalement, pas si mauvaises que ça, les badlands !

L'automne s'est engourdi, l'hiver a déjà commencé à momifier les sapins.

Les lièvres peuvent respirer, leur territoire a mis sa peau blanche assortie à leur fourrure immaculée. Sautez, sautez, petits lièvres, on ne vous voit plus ! Sauf vos traces qui font des sentiers.

Je croise ce loup qui marche. Heureux et souriant, il s'enfonce dans la forêt et disparaît, comme le Vagabond. J'aurais voulu le suivre.

Pour faire une pause, je me suis stationnée entre un camion d'Oreo et un camion de vaches laitières. Ça donne envie de me traire un verre pour tremper des biscuits !

Destination : base des Forces armées canadiennes,
Dundurn, Saskatchewan
Cargaison : obus millésimés 1985
Température : entre la pluie et le beau temps, à mettre un imper de la couleur d'un arc-en-ciel
Novembre 2009

Livraison d'obus

C'est l'heure où le ciel s'allume par en dessous, l'heure où le soleil étire ses premiers rayons sur ma droite alors que je roule sur la 11 Nord vers Saskatoon. Dans cette province, on ne change jamais l'heure, on laisse l'heure au naturel, comme ses paysages. Du coup, avec mon heure avancée de l'Est, j'ai deux heures de décalage. Les gros nuages gris-bleu apparaissent en trois dimensions, et la lumière irradie pour faire vibrer le jaune des champs de moutarde. Saskatchewan. Surprenante Saskatchewan. Quand mon regard se pose plus loin vers l'horizon et qu'il se tourne un peu vers l'ouest, un énorme arc-en-ciel jaillit, je peux presque voir la naissance de ses stries colorées dans la moutarde. Et puis, j'avance sur un long ruban gris entre des lignes jaunes qui défilent à 100 kilomètres à l'heure.

Je roule avec des obus à pleine remorque. De vieux obus fabriqués en 1985, trop vieux pour garder le pays, mais encore capables de tuer. L'armée canadienne veut s'en débarrasser. D'une base de l'Ontario, où on les entreposait, on m'en a chargé 18 tonnes en me confiant la mission de les transporter jusqu'au plus gros dépôt de munitions des Forces canadiennes. La meilleure façon de protéger la marchandise, c'est de ne jamais s'arrêter. Alors, nous sommes deux, et nous nous relayons au volant en faisant quelques pauses pour notre ravitaillement. Je ne choisis pas ma cargaison, mais, pour l'aventure, je me suis fait embaucher par une compagnie spécialisée dans le transport de matières dangereuses et explosives. Il m'arrive donc de convoyer des trucs pour l'armée. On me demande souvent si j'ai peur. Non. Je n'ai pas peur, j'ai juste confiance. Les obus sont bien emballés et bien stables dans des boîtes de bois. Le vol? Je ne pense jamais à ça, même si ma remorque est placardée de chaque côté de panneaux indiquant qu'elle contient des matières dangereuses et explosives, parce que c'est la loi. Je pense seulement à ma mission. Celle que mon employeur me donne, et puis celle que je me donne à moi-même: apprendre par observation. C'est ma motivation. Avec mon camion, on m'ouvre grand les portes d'endroits que j'aurais eu envie d'observer par le trou de la serrure. Je regarde ce qu'on fabrique en questionnant discrètement les gens qui y travaillent. Je n'arrive pas avec les gros sabots des journalistes, mais avec les pantoufles de mon 18 roues. Attendue. Ils me voient comme si j'étais de leur côté. J'en suis, en restant neutre. Et ils me racontent fièrement ce qu'ils font.

Dundurn. Quelques kilomètres après la petite ville, il me faut suivre le signe CBF, c'est ce qu'on m'a dit au téléphone. *Canadian base force.* Je serais passée tout droit, n'eût été ce panneau. Tout est bien camouflé depuis la route. Le village de la base n'est pas gardé, alors il est accessible à qui voudrait y flâner. Le dépôt, lui, est bien emmuré. Je ne peux aller plus loin, il y a une clôture, des barbelés, des caméras et un bâtiment de sécurité. *Restricted area.* Il s'est remis à pleuvoir à boire debout, les drapeaux ne sont plus en berne, à croire que les soldats tués la semaine dernière en Afghanistan sont montés plus haut que leurs hampes. Le portrait de la Reine m'accueille dans le bâtiment de sécurité. Dessous, il y a le sourire de la Gouverneure générale avec sa médaille rouge. Dans un cadre en trois dimensions, on expose quelques projectiles comme des bijoux dans un écrin de velours. Quelque chose de lourd se dégage de ces vitrines. Des monstres endormis, fascinants et horrifiants à la fois. Toutes ces munitions sont vraies, même si elles sont inertes. J'apprendrai que la base de Dundurn est la plus grande installation de stockage de munitions et d'exercices de bombardement des Forces armées canadiennes, 90 kilomètres carrés d'entrepôts cachés et de champs d'essai. C'est d'ici, en plein centre du pays, que partent les munitions pour être déployées à l'étranger.

Bob, le gardien, me raconte quelques blagues pour détendre l'atmosphère. Ça marche, alors je lui demande un café en le payant d'un rire. Il connaît bien la procédure et me l'explique point par point en soufflant sur son café. Je dois lui remettre nos téléphones cellulaires éteints, l'allume-cigare du camion et les aliments qu'on ne garde pas au frigo. Il paraît que, la nourriture, ça attire les petites bêtes qui pourraient faire exploser les magasins de munitions. Alors, je laisse tout à Big Bob et il signale mon arrivée à la police militaire, car il me faut encore subir une enquête de sécurité pour livrer mes obus.

Dans les toilettes des dames, bottes d'armée, *spray net* et crème à mains. Ici, le féminin l'emporte.

Le policier gare sa voiture de patrouille à côté de mon camion et il vient à notre rencontre. Nous le surveillons par la fenêtre du bâtiment de sécurité. Il a un petit béret rouge et un imperméable jaune fluorescent qu'il porte sur son habit sombre, il marche bien droit vers nous. Bob chiale avec l'autre agent de sécurité contre ce jeunot qu'on vient de parachuter sur la base pour qu'il y fasse respecter la loi. Tout le monde se tait quand le policier entre. Sans trop de courtoisie, il salue de la tête les occupants et me demande mon permis de conduire et celui de ma partenaire de travail. Avec nos permis, il retourne vers sa voiture, je lis dans son dos : MILITARY POLICE en grosses lettres fluo. Bob sort avec lui pour inspecter l'intérieur de notre cabine, c'est la procédure. Je ne sais pas ce qu'ils se sont dit, mais Bob revient en ronchonnant. Le nouveau n'a pas l'air d'avoir d'amis sur la base. C'est un soldat solo, avec un habit de policier. Il revient avec nos permis. Ma partenaire reprend le sien et peut retourner dormir tranquille, tandis que j'irai nous faire décharger de nos bombes.

La barrière s'ouvre et je peux entrer dans les champs, un pick-up nous escorte. Du haut des airs, on ne verrait pas les magasins de munitions – ni sur Google Maps, j'ai essayé ! –, ils sont couverts de gazon. Mon escorte me mène à travers la forêt, les champs et les vallons, à six kilomètres de la barrière. C'est rassurant pour ceux qui vivent dans les environs : si ça explosait, ils ne verraient que des feux d'artifice au loin.

Au quai de déchargement, ils sont quelques-uns à m'attendre. Un soldat vient vérifier l'authenticité du sceau de sécurité sur les portes de ma remorque, et je l'ouvre pour la première fois depuis mon départ. C'est justement ce sceau qui m'empêchait d'ouvrir ma remorque : intact, il prouve que je n'ai rien touché, il me protège si jamais il manquait un morceau. Rien n'a bougé malgré la route.

Le chef des opérations vient m'accueillir, tout le contraire d'un militaire discipliné rasé de près à l'uniforme impeccable. On le dirait plutôt sorti d'une cabane à sucre, avec sa grosse barbe hirsute, son chapeau d'aventurier calé sur la tête et ses vêtements de chasse qui lui donnent l'allure d'un colosse sympathique de six pieds avec une voix tonitruante de chanteur à répondre. Il parle un français qu'il est en train d'oublier, mais, à force de parler avec moi, il se dérouille la langue et retrouve son accent d'origine, celui de l'Abitibi, comme Richard Desjardins.

Il me tend la main avec une joie palpable. Je ne sais pas si c'est la joie de recevoir ses obus, ou bien parce que je lui apporte des souvenirs du Québec. Quand je lui dis que je suis du Lac-Saint-Jean, les barrières tombent, nous sommes nés dans des milieux qui se ressemblent. D'emblée, je suis jugée sympathique, les gens des régions se reconnaissent entre eux, nous sommes issus d'une culture couverte de neige et de forêts.

Je suis fascinée par lui autant qu'il peut l'être par moi, une petite jeune (il croit d'abord que j'ai 25 ans) qui transporte des obus pour l'armée. Je lui raconte un bout de mon parcours, pour qu'il me raconte un peu le sien. C'est donnant, donnant.

Il s'appelle Dez. C'était trop difficile pour les anglophones de prononcer « Desautels », alors tout le monde dit « Dez ».

Il parle fort et il indique aux deux soldats en uniforme kaki où il veut ses obus, c'est ce qu'ils attendaient pour commencer à décharger ma remorque. Nous pouvons continuer à converser, en observant le travail des soldats qui s'affairent sur des chariots élévateurs. Dez est aussi spécialiste en munitions, il a suivi une formation serrée de trois ans, en plus d'avoir servi plus de 25 ans dans l'armée, il a 46 ans, autant dire que c'est toute sa vie, il connaît les munitions par cœur. Il m'apprend que sa femme est la spécialiste chargée de les détruire. Il en est fier ! Un couple explosif. Il me parle du petit musée qu'il est en train de constituer dans le sous-sol du bâtiment de sécurité, pour exposer tous les spécimens de munitions récoltés au fil des ans, pour instruire d'autres soldats et pour assouvir sa propre passion. À le dire comme ça, à froid, pour quelqu'un qui vient du monde extérieur, avoir comme passion les munitions et les armes peut sembler un trait tout désigné de psychopathe, mais jamais je n'ai perçu un quelconque déséquilibre chez Dez.

C'est son métier et il est payé pour tout connaître. Il me donne la permission de voir ses vitrines en sortant.

— T'as juste à dire à Big Bob que Dez t'a autorisée à entrer.

Ça pique ma curiosité. J'irai, j'aime le travail des passionnés.

Derrière ses lunettes, ses yeux bleus me renvoient un regard franc et honnête. Il me raconte ce qu'il veut bien de la guerre de Bosnie, où il était chargé de détruire les dépôts de munitions et de s'assurer que toutes les armes étaient inertes au départ des troupes canadiennes. Il y avait 335 dépôts d'armes au temps de l'ex-Yougoslavie.

— C'est énorme ! me confie-t-il. Le Canada n'en a que quatre pour tout le pays.

Je ne sais pas combien de dépôts il a détruits en Bosnie, ni s'il y avait des hommes tout près quand venait le temps de les faire exploser. Nous n'en parlerons pas. Il nous faudrait le temps de boire quelques bières pour en arriver là. Nous n'en aurons jamais l'occasion, on a terminé de décharger mes obus et je dois disposer, on m'escortera jusqu'à la sortie où Bob m'attend avec mes sacs de nourriture et mes téléphones portables.

À Bob, je demande à voir le sous-sol et les vitrines de munitions. Il hésite un peu, mais, quand je prononce le nom de Dez, c'est comme si j'avais dit la formule magique pour ouvrir les portes de la caverne d'Ali Baba. Dans la grande cave tout en béton, il y a une grande exposition en devenir. Des bombes, des missiles, des obus, des balles, des grenades exposés en vitrine. L'agencement de toutes ces munitions est si bien fait que j'arrive à les trouver belles. Dez nous en fait voir de toutes les couleurs, des dorées, des bleues, des rouges, des blanches, des jaunes et des kaki, il y a même un gros obus tout rose et tout mignon avec le drapeau britannique, et puis cet immense missile blanc monté sur un chariot, en position de lancement. Je reconnais le tag de Dez: «*INERT*», peint au pochoir en lettres majuscules sur tous les spécimens. Je n'en saurai pas plus que ça, j'en ai eu juste assez pour m'imprégner de cette angoisse que l'on peut ressentir face à ce qui a été fabriqué pour tuer, pour détruire.

Il a cessé de pleuvoir. Je sors de la base songeuse, le regard plongé dans les champs de moutarde qui brillent, un si beau paysage camouflant des munitions. Avant de reprendre la grand-route, j'aperçois des abeilles qui butinent sur les fleurs jaunes, elles ne se doutent pas qu'elles sont si près de bombes, à l'image de la plupart d'entre nous. Et je me mets en route vers mon prochain client: un apiculteur qui me chargera de 20 tonnes de miel. Obus à l'aller, miel au retour. Le contraste me frappe.

Dans un village, une maison blanche est couverte de tourbillons jaunes. Une maison à pois, impertinente de laideur.

Parfois, mieux vaut être libre et laid que beau comme son voisin et prisonnier de sa propre image.

Je sais que le foin coupé est vieux quand, sur les montagnes de bottes de foin, le tout neuf se remet à pousser.

Le foin ne meurt donc jamais vraiment. On voudrait tous, quelque part, être un brin de foin.

Il y a un kiosque à fruits au *truck stop*.
J'ai demandé :
- *What's local?*
- *Nothing.*
Au Manitoba, les céréales poussent plus vite que les fruits.

À quand les kiosques à céréales, alors ?

ABITIBI

On dirait que les bouleaux ont
mis des bois de cerf : la neige
leur fait un p'tit velours sur leurs
branches.

Attention, orignaux sur
15 kilomètres quand les feux
clignotent. Ils clignotent, alors
c'est pas le temps de clignoter
des yeux !

Un chasseur à casquette orange
attend sa proie dans le fossé.
Nous passons.
Il nous suit de la tête.
Meilleure chance la
prochaine fois.

Des chasseurs chanceux sachant
chasser reviennent avec un
chevreuil plus gros qu'un
congélateur. Ils auront de
la viande pour l'hiver.

Lieu : route 117, province de Québec
Destination : Montréal, Québec
Cargaison : pommes de la vallée d'Okanagan
Température : les arbres ont beau être dénudés, moi, je me couvre bien
Novembre 2008

Les petits rennes aux sabots rouges

Je suis revenue de l'Ouest canadien avec l'envie de changer de chemin : passer par le nord du Québec plutôt que par Ottawa. Juste pour faire un coucou à l'Abitibi avant que l'hiver l'envahisse. À Val-d'Or, j'ai fait semblant de ne pas voir la déviation réservée aux camions et je suis passée dans le centre-ville avec mon 18 roues. J'étais trop excitée à l'idée de déambuler sur la 3e Avenue pour faire comme dans la chanson *Buck* de Richard Desjardins, qui jouait d'ailleurs à tue-tête dans la cabine. Le plaisir a duré jusqu'à la fin du dernier couplet, le temps que mon camion se mire pendant quelques kilomètres dans les vitrines de la rue principale, en se prenant pour un orignal. Il n'y avait pas d'espace pour s'arrêter et placoter avec les Valdoriens, mais, à la sortie de la ville, j'ai repéré un endroit où nous pourrions souffler un peu, ma bête et moi. Un petit restaurant avec une grande place de stationnement, où j'ai vu la chanson devenir réalité : j'ai vu un pick-up avec des caribous empilés les uns sur les autres dans la boîte. Trois petits rennes aux sabots rouges, qui bourreront les congélateurs de quelques familles juste à temps pour les fêtes. Tout est si bien occulté à Montréal que je me demande bien comment réagiraient les citadins de l'avenue du Mont-Royal ou de la rue Bernard si un chasseur se pavanait avec une tête d'orignal sur son capot, comme s'il était sur la 3e à Val-d'Or !

Ça m'a rappelé quand mon père revenait de sa chasse, fier comme un *buck* parce qu'il avait tué un orignal. J'ai encore cette photo où il nous avait fait asseoir tous les quatre, mes frères, ma sœur et moi, sur le char gris spotté de rouille, juste à côté de la tête de l'animal attachée au capot. Nous la caressions avec un air tristounet, à part mon petit frère, ravi que mon père ait ressurgi du bois après son long séjour de chasse. Avec mon cœur d'enfant, j'éprouvais à la fois de la joie et de la tristesse, tiraillée entre le malaise et la fierté. J'étais contente parce que mon père était le seul chasseur du quartier à rapporter une bête que nous mangerions pendant l'année, ce qui faisait de lui le « plus meilleur papa du monde » ! En même temps, voir la bête morte avec sa tête exposée comme un trophée me rendait triste et mal à l'aise. À six ans, je comprenais qu'on tue pour manger, car j'avais déjà assisté à l'abattage et à la saignée d'un bœuf. Mon père et Fernand le fermier avaient traîné l'animal par les naseaux hors de l'étable pour ne pas effrayer davantage ses frères qui meuglaient à fendre l'âme. La souffrance de la bête pendant sa mise à mort nous avait tiré les larmes, à ma sœur et à moi. Mon père avait eu la « délicatesse » de nous faire monter dans une remorque pour qu'on ne salisse pas nos bottes et nos pantalons dans le sang qui giclait. Il était chasseur, mais il faisait aussi la lessive ! Un choc qui me rappelle tous les jours que la viande ne pousse pas dans la styromousse !

Dans sa chanson, *Buck*, Desjardins laisse les cervidés prendre leur revanche sur les chasseurs :

Nous pauvres cervidés,
quand on aura des chars,
on f'ra des défilés,
sur la 3e à Val-d'Or.
On posera sur nos capots,
des têtes coupées de chasseurs,
pis on laissera leurs sabots
chesser dans le congélateur.

Destination : Vancouver, Colombie-Britannique
Cargaison : raisins frais du Brésil
Température : le froid fige le souffle de vie qui sort des naseaux
Décembre 2008

Le vrai

Il fait encore clair dans les Rocheuses, mais la pénombre s'installe doucement. La Transcanadienne est si escarpée que je ne peux pas rouler à plus de 40 kilomètres à l'heure. Soudain, en plein milieu de mon chemin, une famille de mouflons traverse et s'arrête. C'est la première fois que j'en vois ! Je suis exitée comme une petite fille sur mon siège à air. La nature me fait un cadeau, alors j'immobilise ma grosse bête à leur hauteur.

Les cornes du bélier m'impressionnent par leur forme et leur taille. Les seuls que j'avais déjà vu, c'était sur les pictogrammes représentant le signe astrologique du bélier et sur l'emblème chromé du Dodge RAM de mon père ! Ceux-là sont réels ! Par leurs nasaux sort la fumée de leur souffle.

Le vrai, quand je l'aperçois, illumine ma route. Le vrai, je le cherche partout.

Ville : Las Vegas, Nevada
Cargaison : viande de porc biologique du Québec
Température : soleil à paillettes
Décembre 2009

L'authentique faux

Las Vegas. Je prends toujours plaisir à m'arrêter pour l'observer. Cette ville qui s'est donné tant de mal pour nous attirer dans ses pièges à sous me coupe le souffle chaque fois.

Elle me fascine autant que Paris Hilton. Sous leur clinquant, on se demande pourquoi elles en mettent autant. Sans doute veulent-elles se faire aimer. Désespérément.

Jouer n'est pas mon dada. Je préfère marcher dans la ville et dans les casinos pour observer les gens. Tiens, comme ce beau latino qui m'effleure le bras en s'excusant. Un marchand de l'amour.

— *Where are your friends?*

D'un mouvement de la tête, je lui indique mon partenaire qui s'abrite du soleil à l'ombre d'une enseigne couverte de paillettes. Il me laisse tranquille et interpelle sans attendre d'autres passantes.

Sur le parterre d'un hôtel de luxe, même le gazon m'étonne. Il est si parfait, bien qu'il pousse dans le désert, que je me penche pour le toucher. Il est faux. Les jambes coupées, je m'assois dessus. Plus tard, j'apprendrai que des dizaines d'entreprises du Nevada se spécialisent dans l'aménagement paysager artificiel.

Plus loin, sur le boulevard Las Vegas, des athlètes, sortis des spectacles du Cirque du Soleil, courent en se frayant un chemin dans la foule de touristes. Nous leur servons de divertissement.

Et puis, je regarde passer ce beau grand monsieur noir, en complet tout mauve, même ses chaussettes sont violettes. Je lui souris, il soulève son chapeau et poursuit sa marche sur la Strip.

Si je cadre bien pour photographier les répliques de monuments célèbres, j'arrive à faire disparaître tout ce qui paraît faux, comme ce gros casino sur lequel s'assoit la tour Eiffel, ou cette piscine turquoise au pied du palais des Doges. Tout me semble si réel dans la lorgnette de mon appareil que, l'espace d'un instant, j'ai l'impression de me trouver là où Las Vegas voudrait bien que je me croie. Paris, Venise, New York, comme si je les visitais toutes en une journée.

La ville est tellement fausse qu'elle en devient unique. Une authentique fausse ville. Las Vegas aura beau copier tout ce qu'elle désire, jamais elle ne pourra copier le charme.

Dans l'autobus qui me ramène au camion, le vernis de la ville craque. La faune change, il n'y a plus de riches touristes venus faire la fête. Il y a, mêlés aux gens ordinaires, des clochards aux accoutrements déglingués. J'en sens venir quelques-uns à l'odeur. Et ce n'est pas l'odeur de l'argent.

Ville : Las Vegas, Nevada
Cargaison : viande de porc biologique du Québec
Température : ciel clinquant
Décembre 2009

Une grand-mère digne

J'étais à me promener dans une rue chic de Las Vegas quand j'ai croisé cette jolie petite vieille. Elle tenait son sac à main serré près d'elle tandis qu'elle m'a abordé :

— Avez-vous des sous pour les enfants malades ?

Elle était tout endimanchée avec ses habits sortis d'une autre époque. Elle avait mis son chapeau vieux rose à voilette assorti à une longue robe de crêpe. Une fière grand-mère.

Sur le menton, elle avait de longs poils blancs, drus et hirsutes. Si elle avait su que je les apercevais, elle aurait eu honte, mais elle ne les voit plus. Sa fierté est sauve. Personne n'est donc assez proche d'elle pour l'aider à enlever ses poils ? Triste.

Je lui ai donné quelques pièces et je l'ai regardée s'éloigner avec un drôle de pincement au cœur. L'instant d'après, je l'ai vue marcher sur sa dignité pour fouiller les poubelles. Elle prétendait donc quêter pour les autres, pour se préserver de la honte de mendier pour elle-même. L'argent, elle en avait plus besoin qu'un enfant malade.

J'ai poursuivi ma promenade dans la capitale du fric et je me suis demandé comment je ferais, moi, pour garder ma dignité si j'étais sans un sou et sans pouvoir en gagner dignement. Je cherche toujours la réponse…

Lieu : quelque part sur les autoroutes des États-Unis
Destination : Laredo, Texas
Cargaison : pneus
Température : de bottes d'hiver à sandales d'été
Décembre 2005

Un courriel à mes amies

Chères amies,

Vous pourrez me compter parmi vous pour Noël ! Je serai de retour à temps pour le souper traditionnel au Lac-Saint-Jean. J'ai hâte de vous voir, avec tous les nouveaux bébés et les nouveaux chums ! Vous me manquez !

Pour moi, ça roule ! Je réalise à l'instant qu'il y a presque cinq ans que je mène ma vie de nomade, j'ai pris le rythme de travailler moins de 20 jours par mois, ce qui me donne assez de temps libre à la maison pour profiter de Montréal et de ses attraits. Je parcours entre 25 et 30 000 kilomètres les bons mois, ce qui me laisse peu d'énergie pour aller vous voir à l'extérieur de la ville. J'étais en Californie il y a quelques semaines, j'arrive du Texas et me voilà de nouveau en route pour la même destination. J'écris ce message de mon camion, assise sur le siège du passager. Les paysages défilent à 100 à l'heure pendant que mon collègue conduit avec, sur une oreille, son baladeur. Il neige des petits flocons, et un tapis blanc recouvre parcimonieusement les pelouses. Il est 15 h. Je roule vers le sud-est et je franchirai bientôt le fuseau horaire ; il y aura une heure de moins. Si vous écoutez la météo au *Téléjournal* ce soir, dites-vous que j'étais sous la masse nuageuse qui recouvrait l'Ohio. Je cours plus vite que les nuages ! La météo ne vient pas à moi, je roule vers elle. Je me déplace de climat en climat. Aujourd'hui, je vois des arbres hivernant, demain ce sera les cactus verdoyant sous le soleil permanent de Laredo.

Je vous ferai parvenir ce message au prochain arrêt, en Illinois, car je me suis abonnée à Internet dans une chaîne de *truck stops* que je retrouve partout en Amérique du Nord, comme si c'était ma maison dans mille villes. Sans même sortir de mon camion arrêté à une pompe ou dans le grand stationnement, je vous enverrai ce message que vous recevrez instantanément. Je pourrais même vous parler gratuitement si vous étiez branchées avec Skype ! C'est un bon moyen pour rapprocher les familles et les amis éloignés.

Voilà ! Je vous laisse. Je retourne à mes lectures du moment : *Le Petit prince* d'Antoine de Saint-Exupéry, *La Détresse et l'enchantement* de Gabrielle Roy, *Elle Québec*, *L'actualité*, et *Petit cours d'autodéfense intellectuelle* de Norman Baillargeon. Je recommence à conduire à 3 h cette nuit.

À très bientôt pour Noël !

Je croise ma première saleuse
de l'année.
Avec ses gyrophares,
elle m'annonce ce qui s'en vient.
Je suis prête !

Si je reste derrière la charrue,
est-ce que c'est mettre la
charrue avant les bœufs ?
Pas de risques à prendre,
je passe devant !

Le ciel était noir, les flocons
comme des météorites. Nous
avons été bombardés toute
la nuit. J'ai fait la guerre des
étoiles au volant de ma navette.

Lieu : État de l'Indiana, autouroute I-69
Destination : Toronto, Ontario
Cargaison : biens variés pour un grand magasin
Température : à glacer le sang
Décembre 2005

L'hiver sournois

Les orages, la brume, la neige, quelquefois ça t'embêtera.
Pense alors à tous ceux qui ont connu ça avant toi, et dis-toi
simplement : ce que d'autres ont réussi, on peut toujours le réussir.
Guillaumet à Saint-Exupéry
Terre des hommes

Il pleut en Indiana. Pourtant, une légère couche de neige recouvre les champs. Le thermomètre de mon rétroviseur indique le point de congélation, mais le sol est bel et bien mouillé, pas de glace à l'horizon. Je roule en direction du Canada, le nord, le froid, c'est donc que le gel pourrait prendre à tout moment à mesure que j'avance. Je redouble d'attention pour déceler le verglas. Je me concentre sur la route comme jamais, je n'utilise pas le régulateur de vitesse. Je préfère garder le contrôle de l'accélérateur avec mon pied.

L'hiver me dévoile sa face sombre. Sous son manteau immaculé, enjôleur avec sa blancheur, se cachent de sournois dangers. Un moment d'inattention et il vous passe un sapin ! Il en a passé des dizaines cette nuit. Un camion est complètement renversé sur le côté et je ne vois que le dessous de ses 18 roues. Deux autres ont le nez dans le champ et devront attendre qu'une dépanneuse les dégage de là. J'ai compté 12 voitures qui avaient quitté la route.

Mes pneus produisent un sillon de bruine, un indice que l'adhérence est bonne. L'absence de ce sillon est présage de glace noire, mon ennemie jurée. Le vent siffle fort et passe au travers de ma porte, comme pour me rappeler qu'il est là, prêt à me dérouter. Il hurle à grands coups, je ne m'entends plus penser. Des rangées d'arbres de chaque côté de la route me donnent parfois un petit répit. Si je laisse aller le volant, l'accotement glacé pourra me faire foncer dans le décor. J'ai peine à garder l'attirail entre les deux lignes. De la glace se forme sur mes rétroviseurs, signe fatal de verglas ; je le sens avant qu'il me surprenne. Les épandeuses ont bien accompli leur travail ; leur sel est mon salut. La bruine sous mes roues me rassure. Je la surveillerai pour les cinq prochaines heures. Un excès de confiance peut m'être fatal.

Mon collègue poursuit le chemin, à son tour de se battre. Je m'en suis bien sortie, mais la bataille a été si rude que je tombe sur ma couchette, épuisée. Sournois est l'hiver !

White Christmas, c'est une bien belle chanson, mais quand on est camionneur, on ne souhaite pas de Noël blanc sur la route. N'en déplaise à Bing Crosby et son gazon encore vert.

21 décembre
Je dame la poudreuse comme le père Noël dans son traîneau. Je fouette mes rennes pour un dernier effort. Allez ! Ya ! Ya ! Trois tempêtes plus tard, je serai là pour Noël.

22 décembre
J'ai vu 25 voitures dans le décor et 3 camions mis en porte-feuille sur la 401, mais, saine et sauve, je suis rentrée, jusqu'en janvier !

On a traversé la pluie, on a traversé la neige, on a franchi les montages et on a franchi les plaines, on revient avec des oranges. Fiers. Tant de diversité sur ce continent ! Bientôt dans vos marchés !

9 janvier
Je quitte le nid douillet de ma maison. Le camion, c'est le nid qui fait ronron.

11 janvier
Les arbres sont couverts de petites boules de neige, c'est joli !

Je chausse mes bottes d'hiver pour le départ. Dans moins de deux jours j'enfilerai mes ballerines au Texas.

Ville : Italy, Texas
Destination : retour à Montréal, vers le froid et la neige
Cargaison : poteries de terre cuite
Température : à faire un pique-nique au soleil en humant les odeurs du Texas
Janvier 2006

Bouiboui BBQ

Il y a longtemps que cette roulotte m'attire. Peut-être est-ce sa couleur rouge comme la terre cuite ou encore ses tables à pique-nique couvertes de nappes à carreaux dont les coins volent au vent. Je la vois depuis plusieurs voyages aux abords de l'autoroute. Je ne manque jamais d'ouvrir les fenêtres pour humer l'odeur du Texas: le bois qui fume et la viande qui grille. Cette fois, c'est en plein l'heure de casser la croûte et je m'arrête en songeant que le temps m'appartient quand je reviens vers Montréal.

Ça sent la fumée de BBQ partout. On m'a déjà raconté que ce sont les bouchers qui ont lancé la tradition en faisant cuire des heures et des heures la viande qu'ils n'avaient pas vendue, plutôt que de la perdre. Encore aujourd'hui, dit-on, tous les villages du Texas sentent la viande qui cuit dehors, et les boucheries servent leurs viandes tendres et savoureuses directement dans du papier brun, sans autre cérémonie.

Je m'approche de la source de la fumée, il n'y a personne, alors je peux observer le BBQ à mon aise. C'est un système savamment bricolé, en fonte, avec des cheminées pour laisser la fumée s'échapper. Un vrai BBQ texan au charbon de bois. Sur le côté, je peux lire le nom du fabricant: un Texan d'Austin. Il a soudé des barils de fonte sur une structure de remorque

que l'on peut atteler à un pick-up. Sur l'autoroute I-35, je les aperçois souvent, les BBQ me dépassent pour aller faire la fête.

Soudain, un homme sort de la cabane. Sans doute vient-il chasser la bête qui rôde autour de son BBQ.

— *It smells so good! What are you cooking?* lui dis-je pour justifier ma présence près du gril.

Il s'approche avec un petit air méfiant, comme si j'allais me sauver avec les kilos de viande en train de rôtir. Il soulève le couvercle, mes yeux s'écarquillent devant les pièces de viande qui grésillent doucement sur la braise.

— *How long does it take to cook a cut like this?* demandé-je en pointant du doigt la grosse pièce de bœuf qui pourrait bien nourrir 10 personnes.

J'approche ma tête pour sentir de plus près. Il referme le couvercle.

— *It takes twelve to fifteen hours,* répond-il.

Il soulève le couvercle du petit tonneau qui jouxte le gros. De la fumée s'en échappe.

— *What is it?*
— *It's a smoker, this is where I burn Mesquite wood to give the flavour to the meat.*

Et il le referme aussitôt après son inspection.

La fumée se fraye un chemin en volutes jusqu'à la cheminée en passant par les grilles, où braisent les pièces de viande qui grésillent. Leur gras fond doucement sans flamber. Voilà le secret des Texans: ils ne grillent pas leur viande, ils la « barbecuent ». Si je comprends bien, les deux astuces qui garantissent tendreté et saveur, c'est de rôtir la viande des heures durant sur une douce braise et de faire fumer du bois de *mesquite* à côté pour parfumer la viande sans la gâter.

— *Do you want something?* me lance le cow-boy qui s'impatiente.
— *Yes I do, I'd like to taste a little bit of everything.*
— *Follow me to the window.*

À la fenêtre de la roulotte, sur un tableau, les prix sont inscrits à la livre. J'hésite à faire un choix, alors, sans trop réfléchir à la quantité, je prends une livre de *brisket,* et aussi quatre côtes levées, et puis, tant qu'à y être, deux saucisses. Le cow-boy au visage rougi par le feu enveloppe la viande dans du papier de boucher et finit par me sourire, rassuré de constater que le vautour qui rôdait autour de sa viande paye pour son repas.

Je choisis la meilleure table et je m'empresse de dérouler mon paquet sur la nappe à carreaux. Les rayons en oblique saturent les couleurs et tout me paraît bien vif: le rouge de la roulotte; le jaune et le vert des herbes dans les champs; et puis cette viande qui luit. Je me sers de mes doigts comme d'une fourchette et je porte une côte levée à ma bouche. La chair rosée se détache de l'os et fond sur mon palais. Mmmmmmmhhh! Il y a une subtile saveur sucrée, la sauce est bien caramélisée et le braisage a su rendre la viande à son meilleur. La saucisse est assaisonnée à point. Les tranches de bœuf sont d'une tendreté incomparable. Le goût fumé est très présent, cependant j'avoue que c'est un peu fade sans sauce BBQ. Je retourne voir le cow-boy pour lui en demander. Il me regarde d'un drôle d'air sous son chapeau blanc. Sans doute préfère-t-il sa viande nue, comme un connaisseur.

J'en ai pris assez pour le reste du voyage, et j'ouvrirai mon frigo comme une fenêtre sur le Texas en respirant à fond ses odeurs, jusqu'à Montréal.

Il y a le soleil qui se prépare à se coucher et il y a moi assise devant, qui goûte le Texas en me léchant les doigts qui sentent la fumée avec un sourire à la sauce BBQ. Le bonheur me coule sur les mains.

EN ROUTE VERS LA CALIFORNIE ___

Je prends mon petit-déjeuner dans le Michigan, je dînerai en Illinois et je souperai dans l'Iowa. Pour la Californie, c'est toujours tout droit.

Yellowstone. Ce n'est pas que le nom d'un parc, c'est la couleur du Wyoming, de ses rochers, de ses vallons, de sa végétation.

Entre l'Arizona et l'Utah, je lis un grand livre de géologie sans quitter la route des yeux. Y a des livres de plusieurs millions d'années écrits dans les strates des Rocheuses.

Je bats la mesure avec du céleri sur le volant, Seasick Steve dans les oreilles. Et je croque le moment qui goûte le vert.

14 janvier,
Californie me voilà !
Je relève mes manches et
je tends mes bras vers toi.
Ton soleil m'injecte une
mégadose de vitamine D.
Réconfort immédiat. Fait
30 degrés à l'ombre du camion.

Ville : Brawley, Californie
Cargaison : brocolis
Température : soleil qui rayonne, veste légère
Janvier 2009

Pépinière à vendre

Il fait bon ce matin à Brawley et j'ai envie de partir explorer les champs qui m'entourent. Je me sens libre de le faire comme les grands découvreurs, mais je ne sais pas si j'en ai le droit. J'avance à pas de loup, en préparant une explication au cas où je croiserais quelqu'un. Sur un chemin de terre qui craquelle sous la sécheresse, je marche. Tout est jaune et sec, mais je longe un champ de luzerne bien fraîche qui fait contraste. Tandis que je découvre une pépinière à l'abandon, j'aperçois au loin un pick-up Ford qui soulève la poussière en roulant vers moi. À pied, les mains vides, je ne fais pas peur. J'apparais comme un chien vagabond et j'attise la curiosité des gens.

Le conducteur baisse sa vitre sans arrogance. Il a les yeux bleus comme le ciel et ils brillent autant que le soleil, son sourire immaculé resplendit. Il porte ses cheveux gris coupés très court, ce qui lui donne l'air de sortir de l'armée. Je suis l'intruse sur son territoire, alors je m'exprime en premier.

— Je suis camionneuse, j'attends des brocolis pour retourner au Canada.

Et je pointe un doigt en direction de mon camion qu'on distingue à peine derrière moi, garé près de l'entrepôt réfrigéré, le voisin d'à côté.

Joe m'explique qu'il a fermé sa pépinière depuis un an, qu'elle est à vendre, mais qu'il ne trouve pas preneur. Il a peut-être vu en moi l'espoir d'une acheteuse, d'où sa manière sympathique de m'aborder. Il me dit en riant qu'il cherche un vrai emploi, sans pudeur, sans blessure à l'égo.

— Toute la production est partie au Mexique, le salaire mininum a trop augmenté et c'était devenu trop cher d'embaucher.

Ce gars m'avoue candidement qu'il est au bord de la faillite, et il garde l'air de ne pas s'en faire avec la vie, il respire la confiance en lui, au volant de son Ford. J'ai souvent été fascinée par ce trait culturel que j'ai trouvé chez pas mal d'Américains : cette confiance inébranlable en leurs propres moyens, ce détachement face aux difficultés, tout le contraire de l'apitoiement. Compter sur soi en premier, pas sur l'État. Accepter les embûches comme une loi de la nature, la loi de la jungle sauvage du marché.

Je regarde les vestiges de ce que furent jadis ses serres prospères, tout est laissé en friche. Des palmiers en pot agonisent et pour certains il est déjà trop tard. Quelques plantes indigènes plantées à même le sol survivront et se reproduiront à même les ruines. Je me demande si leur survie est due à la loi du marché ou à la loi de la nature.

J'ai laissé Joe en lui souhaitant bonne chance. Tellement.

La désolation s'est installée dans ce coin de Brawley qui, à quelques kilomètres, accueille pourtant un des plus beaux Walmart d'Amérique du Nord. Il est ouvert 24 heures sur 24, et vend, entre autres, des plantes et des fleurs. Mais de là à établir un lien de cause à effet... Joe ne semble pas l'avoir fait.

LOS ANGELES _ _ _

Le ciel de L.A. est couvert
de smog jaune. Les libertés
individuelles sont tatouées dans
le ciel. Mes poumons se mettent
à siffler.

Et là, flash ! La Californie
n'est pas plus verte. Si elle a
des normes antipollution plus
sévères, c'est qu'elle est plus
polluée. Déception.

Livraison de canneberges
séchées dans une fabrique de
biscuits. Tout près, des pauvres
habitent des roulottes miteuses.
Odeur sucrée d'une fournée de
biscuits.

Livraison de probiotiques dans
un entrepôt près d'un parc
d'engraissement de bœufs.
En face, de grandes maisons
cossues. Odeur d'urine chauffée
au soleil.

Qui choisit de vivre dans une
maison cossue où la fétidité
empoisonne chaque souffle ?

Lieu : Interstate 40, Texas et Arkansas
Destination : terminal du Québec
Cargaison : pièces d'automobiles
Température : à mettre des crampons sous ses bottes
Janvier 2006

Les saisons qui roulent

C'est avec une impression d'automne que je me réveille au nord du Texas. Pourtant, le véritable automne, celui qui peint les arbres en camaïeux de verts, de rouges et de jaunes, l'hiver l'a enseveli depuis des mois au nord. Pour nous, les nomades du transport, les saisons ne sont pas étalées dans le temps, elles le sont dans l'espace. À mesure que j'avance, je me déplace à travers les saisons qui transforment ma route et mes paysages. C'est avec cette idée en tête que je marche sur un tapis de feuilles qui craquent sous mes pas, en faisant mon inspection du matin. Ksh ! ksh ! ksh ! Je respire à grandes bouffées l'odeur de la saison perdue chez les miens. En retournant vers la maison, je retrouverai l'hiver, et j'y serai plongée de nouveau sans l'avoir attendu des mois. Demain, je ferai peut-être mon inspection matinale dans la neige où disparaîtront mes bottes, et non plus dans ce tapis de feuilles mortes où s'enfouissent mes ballerines.

Il n'y a pratiquement jamais de neige ici, au Texas, et les arbres ne se parent pas non plus des couleurs vibrantes de l'automne de la forêt laurentienne qui borde le Saint-Laurent et les Grands Lacs. Tout au plus connaissent-ils la couleur de la rouille, celle de la feuille qui s'oxyde et qui retourne à l'état d'humus au pied des arbres, tandis que d'autres poussent, déjà toutes vertes. J'en profite en restant attentive aux signes de l'automne pour le prolonger en moi. Il y a ces petits oiseaux qui chantent, et puis, avec un peu d'imagination, j'écoute le bruit des vagues sur un lac du Nord que fait la circulation sur l'autoroute I-40 près de laquelle mon camion s'est arrêté. Et je prends le volant en mettant le cap sur Memphis, 450 kilomètres à parcourir vers l'est avant de piquer vers le nord.

L'hiver est beaucoup plus près que je ne le croyais. Très tôt, je commence à entrevoir quelques camions pleins de neige en sens inverse. J'ai beau faire semblant de ne pas les voir, je dois me rendre à l'évidence : l'hiver est là, sous mes roues. J'ai d'abord aperçu une preuve irréfutable sur le thermomètre de bord : moins 5 degrés, et, comme si ce n'était pas assez pour que j'y croie, une mince couche de glace s'est formée sur mes rétroviseurs. Qu'est-ce qui se passe ? Je ne suis qu'en Arkansas ! Le gel est censé être bien plus au nord. Il pleut légèrement et le bitume se glace. Le climat est déréglé, l'hiver défroque au sud. Le verglas fait frémir l'Arkansas.

Je me rappelle une des plus grosses tempêtes de verglas de l'histoire de l'Arkansas, c'était en 2003. J'avais eu le temps de la traverser avant le pire, pour regarder le reste aux informations. L'Interstate 40 avait été complètement bloquée pendant trois jours, et des hélicoptères avaient dû venir ravitailler les gens à la queue leu leu sur la patinoire, prisonniers de la glace vive. Des milliers de camions s'étaient retrouvés en panne sèche, les stations-services n'ayant plus de carburant faute de camions-citernes pour les ravitailler. Je crains que la même situation ne soit en train de se répéter. Par chance, mes réservoirs sont pleins, j'ai une autonomie de plus de 2500 kilomètres, de quoi rentrer au Canada. À la radio, on annonce une température sous le point de congélation pour les deux prochains jours, bien en deçà des normales saisonnières pour janvier. Cette fois, je ne suis pas en train de regarder les conséquences de la tempête à la télé, bien calée dans mon sofa, mais plutôt crispée derrière mon volant pour rester alerte.

La route devient une patinoire, les véhicules font des arabesques et valsent jusque dans le décor. Des collègues terminent leur course étendus dans le fossé. Les autorités ne ferment pas les routes : les accidents s'en chargent. Un camion s'est mis en portefeuille et barre le chemin, tandis qu'un autre s'est échoué sur le terre-plein. Nous sommes bloqués pour des heures. Le bouchon de circulation est monstrueux.

En sens inverse, une gratte passe sans épandre de sel, elle a déjà tout donné. Loin d'être équipé comme les États du Nord, l'Arkansas ne dispose pas du matériel nécessaire pour asservir cette tempête, il s'en remet donc à dame Nature et, en ce jour de janvier, celle-ci a décidé de saupoudrer l'Interstate 40 de deux centimètres de verglas. C'est le chaos. La seule solution de déglaçage consiste à attendre que le thermomètre monte. Je regarde un pick-up sautiller sur l'accotement que la glace a rendu raboteux, un travailleur se tient dans la boîte et lance de l'abrasif à la main. Surréaliste. Il me reste 300 kilomètres à faire sur ce parallèle gelé. À ce rythme, je compte en jours le temps que j'y mettrai. La fatigue me gagne, j'ai avancé de 150 kilomètres en cinq heures et la patience a mangé toute mon énergie en s'aiguisant sur mon corps. Je cède la barre à mon collègue, qui s'y accrochera pour l'après-midi. Pour ce voyage, nous faisons des quarts de cinq heures. Étendue sur ma couchette, crevée, j'ai une soudaine envie de me retrouver plus au nord, là où les dompteurs d'asphalte fouettent la chaussée à grands coups de sable, de sel et de gratte. Là où le gel ne transforme pas un État en zone sinistrée. À l'école de conduite des poids lourds, on nous enseigne à nous ranger dans un endroit sécuritaire et à attendre que les équipes de déneigement fassent leur boulot, mais, à la radio CB, j'entends un chauffeur se demander où il va bien pouvoir garer « sa grosse femme », en parlant de son lourd attirail. Il n'y a pas moyen de s'arrêter, les *truck stops* sont bondés. Je n'ai jamais eu autant envie d'une bonne tempête canadienne bien domestiquée. Et, soudain, je prends conscience du travail de mes collègues, les dompteurs d'asphalte, qui, tandis que les médias nous recommandent de rester chez nous pour notre sécurité, prennent la route contre vents et marées pour ouvrir nos chemins. Ils me manquent cruellement ici, tandis que nous patinons en 18 roues. Je m'endors en pensant à ces sauveurs du Nord.

Cinq heures passent, c'est de nouveau mon quart, nous sommes 95 kilomètres plus loin! Décourageant! Je me tiens prête à m'agripper au volant à mon tour tandis que mon partenaire tente un arrêt à l'aire de repos bondée. Un camion du Texas est pris dans la glace sur l'accotement. Deux hommes sont venus aider son chauffeur, essayant depuis un bon moment d'extirper le véhicule de la petite pente couverte de verglas. Ils nous demandent assistance, ils veulent qu'on tire le poids lourd avec des chaînes. Mon collègue me jette un coup d'œil perplexe, car nous savons d'expérience que ça ne fonctionnera pas. Cependant, l'espoir de ces trois camionneurs vient à bout de nos doutes et je descends analyser la situation pendant que mon compagnon attend mes instructions pour avancer. Les pneus des camions virent dans le beurre quand on appuie trop fort sur l'accélérateur; celui-là n'a aucune prise sur la glace. Les deux compagnons du Texan accrochent le tracteur pris à notre remorque, nous coordonnons nos gestes et je fais signe à mon partenaire d'avancer tandis que le Texan est au volant de son véhicule, attendant que ça tire pour accélérer. Leur méthode me laisse sceptique. Mes craintes se révèlent fondées: l'attache cède sous la pression de 80 000 livres du camion à tirer. Cet échec me donne le champ libre pour prendre les choses en main. Cela fait des heures qu'ils tentent en vain de se sortir de ce pétrin, alors je leur montre comment on étend les chaînes sous les roues, ainsi que j'ai appris à le faire en traversant les hivers du Lac-Saint-Jean. Le Texan retourne à ses commandes pour réessayer. Nous braquons nos yeux sur les roues, le regard anxieux mais plein d'espoir. Les roues tournent sur la glace et soudain, hop ! elles mordent dans les chaînes ! Le camion retrouve sa traction et sort du trou d'un seul coup. Ils me regardent tout souriants en me claquant des *high five*. Le vieux Texan descend avec son appareil photo, il me le tend pour que j'immortalise le moment. Il place ses nouveaux amis devant son camion libéré ; le Texan et le camionneur du Michigan, deux Noirs, prennent en sandwich le rouquin trapu du Kentucky à la peau aussi blanche que la neige.

— *Look at us!* s'écrie le vieux Texan noir. *We look like an Oreo!*

Je ris autant qu'eux quand j'appuie sur le déclencheur pour prendre la photo ; les trois hommes me regardent, les yeux espiègles, contaminés de joie en pensant à l'image de biscuit qu'ils renvoient.

— *I feel stupid!* soupire le premier biscuit au chocolat, le camionneur du Michigan.
— *Thank you, my friend!* dit le centre de crème, en soulevant les chaînes à bout de bras.
— *You wanna be my wife?* me demande en riant le vieux Texan, le dernier biscuit au chocolat.

La tempête a réveillé la solidarité et soudé les trois lurons pour le reste du voyage. Ils vont tous en direction est jusqu'à l'Atlantique ; moi, je piquerai au nord bien avant, pour rejoindre les États qui savent traiter la chaussée attaquée par le verglas. Ils resteront unis pour le reste de la tempête. Ils ont eu de la chance en trouvant refuge dans cette aire de repos, il n'y a plus de place pour d'autres camions. Ils nous proposent de partager un repas pour fraterniser, nous refusons à regret. Rarement avons-nous le temps de passer une soirée avec d'autres collègues pour entendre leurs histoires. Eux conduisent en solo et ils ont atteint leur quota d'heures pour la journée ; moi, j'ai retrouvé mon énergie en dormant pendant que le camion roulait. Je ne les recroiserai sans doute jamais, mais je les aurai en mémoire longtemps. Nous roulons à deux et, pourtant, je reprends la route avec une grande impression de solitude.

Alors, je me concentre pour que mes pneus gardent l'adhérence sur la route de glace qui s'ouvre devant moi. Il se fait tard, il y a moins de circulation, si je parviens à rouler jusqu'au Missouri, l'État au nord, je pense que nous serons tirés d'affaire. Quel paradoxe ! Le Nord, finalement, malgré le froid, c'est le réconfort de la maison, peu importe les saisons.

Tant qu'il restera de l'aventure,
tant qu'il restera de la découverte,
peur m'importe l'hiver et sa froidure,
mes portes resteront ouvertes.

Pause ravitaillement
Lieu : Dorchester, Ontario
Cargaison : flocons du Sud
Température : à geler les cils
Janvier 2006

Transport de flocons du Sud

Le froid pique. La fumée sort de la bouche du pompiste, à l'image du pot d'échappement des camions qu'il remplit de diesel. Mon capot est grand ouvert, le pompiste au visage rougi par le froid a grimpé sur ma roue avant pour laver les vitres sales de calcium séché. Ragaillardi par la chaleur qui s'évapore de mon moteur bouillant, je le vois sourire quand il aperçoit les mouches écrasées sur le pare-brise. Voilà des mois qu'ils n'en ont pas vu une au Canada ! Je lui apporte un petit vent du Sud bien malgré moi. Les bibittes collées réchauffent sa dure journée passée au grand froid. Je le surprends à rêver de verdure. Son visage s'illumine, il se met à siffloter, et la fumée de sa bouche devient celle d'un train qui le fait voyager. Il part loin, très loin, là où il y a des mouches qui volent et des bibittes qui dansent.

Destination : Terrell, Texas
Cargaison : pneus
Température : pas le temps de voir le temps qu'il fait, je me concentre sur la destination
Février 2006

Les athlètes de l'autoroute

Le coup de pistolet de départ a retenti. Notre course à relais pour Terrell au Texas est commencée. Sur l'autoroute, nous prenons notre élan comme des marathoniens.

Distance du marathon : 2800 km
Vitesse maximale : 104 km/h
Vitesse moyenne : 88 km/h
Temps à réaliser : 32 heures
Temps restant : 36 heures

Les chevaux du moteur ruent et hennissent. Nous avons rendez-vous sur le fil d'arrivée. À 5 h du matin, dans moins de 36 heures, nous devrons faire notre entrée au centre de distribution. Les nuits seront courtes, le mur de la fatigue devra être surmonté.

Dès le départ, un obstacle nous retarde : mon répartiteur m'apprend que j'ai gagné à la loterie antidrogue. Tous les mois, on tire au sort 20 % des chauffeurs de chaque flotte pour un test de dépistage de drogue. Cela fait partie du jeu : les autorités américaines l'exigent pour que les compagnies de transport étrangères conservent le privilège de rouler dans leur pays. Ces tests nous distinguent des chauffeurs locaux ou interprovinciaux qui, comme les athlètes régionaux, n'y sont pas soumis. Ils font donc de nous, chauffeurs transfrontaliers, des athlètes olympiques de l'autoroute.

Depuis mes débuts, le sort s'est acharné sur moi : mon nom a été pigé tous les ans, même si j'ai déjà fait le test de dépistage de drogue à l'embauche.

C'est dans un *truck stop* de Cornwall en Ontario que l'on vérifiera si j'ai consommé de la drogue ou de l'alcool. À la caisse du restaurant, on appelle Isabelle, la gérante. C'est elle qui recueillera mon urine. Elle me guide vers la salle de tests, une ancienne chambre d'hôtel transformée à cet effet. Les procédures sont strictes, mais l'atmosphère reste détendue. Isabelle me demande de choisir une boîte numérotée et d'authentifier les étiquettes, numérotées également, qui scelleront mes échantillons. Elle remplit les papiers en vérifiant mon identité et coche les cases correspondant aux tests requis. Elle me fait souffler dans un appareil quelques secondes.

— Cette petite machine est si précise qu'elle décèlerait même l'alcool dans une bouche fraîchement rincée au Scope, me dit-elle.

Elle imprime mon résultat : pas d'alcool dans mon souffle, c'est écrit noir sur blanc.

Dans les toilettes, on a remplacé les ampoules par des tubes fluorescents qui dégagent moins de chaleur que le corps humain ; comme ça, les tricheurs ne peuvent s'en servir pour faire chauffer l'urine d'une autre personne. Le couvercle du réservoir est scellé pour qu'on ne puisse pas y prendre de l'eau pour diluer notre urine ; les robinets du lavabo sont bloqués, pour la même raison. Sur mon petit pot stérile, il y a un thermomètre permettant de mesurer la température du liquide. Mon échantillon sera rejeté s'il n'est pas aussi chaud que mon corps. Je me sens un peu gênée quand je remets à Isabelle mon flacon tout chaud, mais son professionnalisme me rassure.

Elle lit la température: 37 degrés Celsius, et l'inscrit sur le formulaire. Elle sépare le liquide en deux parties égales, ferme les pots et les scelle en ma présence. Y sont apposées les étiquettes numérotées que j'ai authentifiées. Elles portent les mêmes chiffres que le formulaire dont Isabelle me remet une copie. Dans un laboratoire indépendant de Montréal, on y cherchera cocaïne, THC, PCP, opium et compagnie. Certaines de ces drogues restent plus d'un mois dans le sang. Je sais mon échantillon vierge, mais dans ma tête une petite alarme résonne tout de même… Et s'il y avait erreur de manipulation? Je serais éliminée.

Tandis qu'il me faut aller vers le Texas, je laisse Isabelle partir avec mes deux petits pots dans lesquels repose mon avenir. Elle les expédiera au labo de Montréal pour analyse. On ne m'appellera pas pour m'informer des résultats; on les transmettra directement aux autorités qui ont demandé le test. En cas d'erreur, j'aurais une autre chance avec le deuxième échantillon, puisqu'il est scellé avec un numéro correspondant à celui du formulaire qui porte mon nom. J'ai encore besoin d'un peu de chance.

Il n'y a plus de temps à perdre, le chronomètre égraine les minutes et il ne s'arrêtera pas avant la fin de notre contre-la-montre pour le Texas. Il ne nous reste plus que quelques heures de jeu pour surmonter d'autres obstacles: la fatigue sera notre pire ennemi. Mon collègue me donne le volant comme on passe le témoin dans une course à relais et je poursuis la route, la pédale au plancher, à 104 kilomètres à l'heure. Les arrêts seront restreints au minimum, c'est la seule stratégie pour y arriver.

Des athlètes de l'autoroute, je vous dis!

Lieu : Winnipeg, Manitoba
Cargaison : pneus
Température : à chauffer le bout de son nez en soufflant sur son café
Janvier 2007

L'étoile éteinte

Si les *truck stops* étaient des hôtels, nos camions en seraient les chambres. Oh ! pas des chambres très étoilées – je dirais : à peine une étincelle d'étoile –, sauf que là, l'étincelle s'est éteinte, éreintée de froid ! Mon camion est mort gelé, mort de frette, mort étouffé. J'ai bien tenté de le ranimer, mais faire le bouche-à-bouche à une baleine par moins 45 degrés, c'est plutôt compliqué. La nuit tombe, alors nous avons laissé notre étoile éteinte pour la nuit, et un taxi qui irradiait la chaleur dans le froid de Winnipeg est venu à notre secours.

— Chauffez-nous jusqu'à l'hôtel le plus proche, s'il vous plaît !

N'importe qui sauterait de joie d'aller dormir à l'hôtel plutôt que de rester au froid, dans un habitacle glacé, mais pour moi, quitter la cabine de mon camion gelé, c'est comme laisser ma maison de force à cause d'un sinistre.

À l'hôtel, tandis que je me demande quand nous pourrons nous sauver de ce froid pour des latitudes plus clémentes, je continue de regarder la météo, bien au chaud, en crémant mes mains gercées. Mon camion, lui, passera sans doute la nuit la plus glaciale de sa vie, statufié par ce froid intense, qui va jusqu'à faire rougir l'écran du canal météo. Il subira moins 45 degrés, sans moteur pour réchauffer le carburant gélifié dans ses veines.

Au petit matin, nous revenons à son chevet attendre les secours. Il nous faut de la chaleur ! Elle viendra, mais on nous a dit qu'il y aurait au moins quatre heures d'attente pour une ambulance à camion. Ma pauvre bête n'est donc pas la seule à agoniser dans ce froid sibérien. À travers la vitre à moitié obstruée par le frimas, j'aperçois celui qui pourrait bien être le frère d'huile de mon camion : il s'est figé en tournant et il bloque une partie de l'accès au *truck stop*. Lui aussi aura besoin de secours. Je tourne mon regard vers ma pauvre bête complètement transie et je souffle sur mon café pour faire des volutes qui me réchauffent le bout du nez. Des serveuses passent remplir ma tasse toutes les fois que je prends une gorgée. Sur le mur, des cristaux de glace forment une jolie tapisserie. Le mur souffre pour être beau.

Depuis ce matin, nous sommes là, assis à la même banquette, l'un en face de l'autre, avec nos ordinateurs branchés sur le monde pour fuir l'ennui. À la télé du restaurant, le canal météo joue à longueur de journée, témoignant en direct de ce que je vois par la fenêtre givrée. Les autobus ne démarrent pas, et les enfants n'iront pas à l'école, on les a fermées. On conseille, entre autres, de ne pas sortir si ce n'est absolument pas nécessaire et de ne faire aucun effort physique dehors. J'applique ces recommandations à la lettre.

Quoi faire quand on ne peut rien faire ? Attendre. Crémer ses mains l'hiver, c'est la variante pratique de se tourner les pouces.

Mon collègue ne tient plus en place, il sautille et maugrée sur le siège rembourré de la banquette. Alors, il part se promener dans le magasin du *truck stop*. Il y a de tout pour le camionneur, même des cadeaux pour sa femme et ses enfants qui l'attendent. Il a pu les appeler avec Skype hier soir et il a même aidé sa petite à faire ses devoirs.

Dans tout le restaurant, il n'y a qu'une table avec un branchement électrique pour maintenir nos ordinateurs en vie. Elle est au bord de la fenêtre et nous devons nous relayer pour la garder. Nous avons pris notre petit-déjeuner ici et voilà que le souper arrive avec de nouveaux plats pour le buffet. Pendant que je tapote sur mon clavier, la brise qui passe à travers le mur me fait grelotter. J'ai gardé ma tuque bleu poudre sur ma tête, et mon survêtement de ski fuchsia dépasse de ma veste polaire turquoise. Avec cet accoutrement, je passe inaperçue parmi les spécimens de fashionista « winnipingouine » qui défilent comme si je me trouvais aux premières loges d'un défilé de mode « spécial survie en hiver ».

Une femme fait son entrée avec ses grosses bottes de motoneige blanches, plutôt jaunies et tâchées. Elle a un long manteau vert paon qui brille. Elle le retire et exhibe son survêtement de sport aux motifs de camouflage de l'armée canadienne. Elle garde, bien calé sur sa tête, un casque d'aviateur en fausse fourrure tigrée.

Un homme se présente, revêtant un manteau très court, cintré à la taille qu'il n'a visiblement plus. Son t-shirt blanc-gris très long forme une jupette par-dessus son pantalon de jogging bouffant comme un habit de clown parce qu'il est rentré dans ses bas blancs. Son fond de culotte a été rapiécé plusieurs fois.

À côté de ma table, une femme, précédée d'une aura de fixatif qui me fait rentrer la tête dans mon col, prend place. Elle s'est fait le teint d'une morte, avec son maquillage trop pâle. Son manteau de cuirette craquelle quand elle s'assoit.

J'en ai assez de tout ce cortège hivernal, il me prend l'envie de défilés de maillots de bain sur une plage de sable chaud.

Lieu : Winnipeg, Manitoba
Cargaison : vide
Température : à s'habiller comme un astronaute pour jouer au plus fort contre le froid
Janvier 2007

Redorer son héros

Dehors, je reconnais tout de suite notre sauveur à son habit de neige tout noir qui lui donne la forme d'un astronaute. Il a une cagoule qui recouvre son visage comme un chirurgien prêt à opérer et de grosses bottes d'hiver qui lui permettraient de rester immobile pendant des heures sans que ses pieds gèlent.

Docteur Hook. C'est son nom. Accrocheur !

— Vous êtes chanceux, si vous aviez appelé ce midi, je n'aurais pas pu vous dépanner avant demain. Il y a maintenant plus de 12 heures d'attente !

Il en est à son vingtième dépannage de la journée ! Dans toute la ville, il y a seulement 12 dépanneuses comme la sienne capables d'aider les camions à se sortir du trou, et les appels se multiplient dans toute la région.

— C'est l'état d'urgence !

Et je perçois son sourire dans le trou de son passe-montagne. Il aime son métier. Il aime sauver. C'est aussi le temps pour lui de profiter de la manne qu'apportent les températures extrêmes.

Il fait trop froid pour tenter une ranimation sur place, il faut transporter la bête au garage. Elle a une engelure au filtre à fioul et, à cette température, il faudrait sept minutes à notre peau pour subir le même sort. Alors, sans discuter, nous laissons faire notre bienfaiteur en complet de ski-doo parce qu'il connaît son affaire sur le bout de ses mitaines ! Vingt ans de dépannage dans des conditions extrêmes, c'est un dur à cuire.

Il manœuvre seul son camion tout chromé aussi gros que celui des pompiers. Sa machine est munie d'équipements complexes permettant de tirer n'importe qui du fossé : poutres de levage ; bras hydrauliques ; câbles avec treuil. Il manie tous ses instruments avec la précision de l'astronaute qui dirige le bras canadien. Sa liste de patients est longue, depuis 3 h du matin qu'il est en service alors qu'il bosse encore pour sortir notre bête du gel à 19 h. Nous l'aidons en décrochant la remorque et, en quelques manœuvres bien maîtrisées, il accroche notre camion transi de froid, s'installe au volant, retire sa cagoule, actionne les feux d'urgence et se met en route pour le garage. Notre pauvre bête suspendue par la queue tient debout avec deux de ses 10 roues. Le froid est venu à bout de sa force.

Le concessionnaire Kenworth de Winnipeg possède une quinzaine de portes pour accueillir des éclopés. Par chance, il reste une place toute chaude pour le nôtre. Notre ambulancier l'installe bien confortablement dans la salle de soins, ferme la porte pour garder la chaleur et, sans plus de cérémonie, il repart aussitôt pour ses autres missions. Il nous salue de la main en nous souhaitant bonne chance.

Notre bête est tétanisée et, pour l'aider à ressusciter plus vite, nous ouvrons toutes ses fenêtres et son capot pour que le froid s'évapore. Un mécanicien sera à son chevet pour la nuit.

Quant à nous qui sommes déjà épuisés de n'avoir rien fait de la journée, le garage nous prête l'unique voiture mise à la disposition de la clientèle pour aller à l'hôtel.

Dès notre réveil dans une chambre à l'habitacle très douillet, nous recevons une mission qui nous permettra de nous redorer le héros, terni par le froid.

Mission : À Grand Forks dans le Dakota du Nord, un frère d'huile de votre camion est pris dans la glace. Votre mission, si toutefois vous l'acceptez, consiste à descendre à 250 kilomètres au sud en franchissant la frontière américaine, à faire un échange rapide de remorques avec le chauffeur, et à livrer la marchandise à temps à Edmonton en Alberta.

Bien sûr, nous avons accepté de revenir au nord du 49e parallèle malgré les risques par pareil froid. Alors, nous avons reformé notre équipe habituelle pour réussir notre mission. Au garage, notre mastodonte avait repris vie et il respirait mieux. Il était tout excité de se voir confier une nouvelle mission pour redorer son blason ! Et il s'est laissé mettre au grand galop vers le sud.

À Grand Forks, nous trouvons le chauffeur infortuné, à pied, dans une ville dessinée pour la voiture. La mine basse, il nous remet sans broncher sa remorque pleine de pneus, tout en acceptant la nôtre, vide. Faire un pareil échange, c'est avouer l'échec de sa mission et montrer au grand jour toute sa vulnérabilité. C'est l'humiliation. Ça nous arrive à tous un jour ou l'autre.

Nous devons laisser le pauvre chauffeur derrière nous pour ne pas perdre de vue notre objectif. À peine avons-nous effleuré le Dakota du Nord que nous virons toutes les machines de bord pour mettre le cap sur le nord-ouest, en direction d'Edmonton, là où l'industrie pétrolière fait battre le cœur de la ville à plein régime.

Allez ! ya ! ya ! en route pour l'Alberta.

Lieu : route 70, direction est, Indiana
Cargaison : vêtements recyclés
Température : à givrer les arbres, à transformer la glace en prisme à arc-en-ciel
Février 2007

Un mariage pour la Saint-Valentin

C'est véritablement utile, puisque c'est joli.
Antoine de Saint-Exupéry
Le Petit prince

Alors que je me repose sur ma couchette, l'après-midi de la Saint-Valentin, mon collègue s'écrie, tout ébloui : « Viiiiens voiiiiir ! »

Un mariage est célébré aux abords de l'autoroute. Sous nos yeux, le soleil étire ses bras qui étreignent les arbres verglacés et s'unissent pour briller ensemble. Le plus beau couple du monde, revêtant les plus somptueux bijoux de la Terre. Des bijoux que personne ne pourra jamais posséder, pas même la Reine, ni même Liz Taylor. Même Marilyn aurait fondu si elle avait pu les porter ! Le soleil fait scintiller les arbres à travers les milliards de prismes de glace sur leurs branches s'élançant vers le ciel, les auréolant d'une lumière pure et éblouissante, allant même jusqu'à donner naissance à une myriade de petits arcs-en-ciel. Dans l'azur, ils resplendissent de toute leur majesté sous la lumière vive, comme pour souligner la fête des amoureux, parés de scintillants apparats sculptés par une grande artiste : dame Nature. Au même moment, mon iPod entame l'acte III des *Noces de Figaro*. Je monte le volume. Moment de grâce. Des frissons me parcourent l'échine. On se regarde, mon collègue et moi, pour partager ce moment intense de beauté. Des splendeurs insaisissables. J'en garderai pourtant quelques étincelles dans les yeux.

Ville : Laredo, Texas
Cargaison : en attente d'un chargement pour rentrer
Température : à faire cuire des œufs sur le capot
Février 2006

Déjeuner du libre-échange

Il n'y a pas de chargement pour rentrer au Canada ce matin. J'ai laissé ma remorque de pneus chez le courtier, où un camionneur mexicain l'accrochera pour aller livrer sa cargaison dans une usine de son pays. Il ne peut pénétrer le territoire américain plus loin que la zone de libre-échange de Laredo et, nous, camionneurs des deux autres pays de l'ALÉNA[4], nous ne sommes pas autorisés à traverser la frontière mexicaine avec nos camions. Un accord de libre-échange pas si libre que ça.

Quand j'observe les files monstres en provenance du Mexique à la frontière des États-Unis, je ne voudrais pas m'y trouver, mais j'avoue que, pour l'aventure, il me plairait bien d'aller fouler la route mexicaine. Pour l'heure, je préfère traverser à pied, pour mon propre plaisir.

J'aime venir à Laredo, c'est une récompense au bout de ma route, parce qu'ici je retrouve cette liberté de me déplacer sans le boulet de ma remorque, tandis qu'on s'occupe pour moi de la « libre-échanger ». Nous sommes des milliers à espérer un chargement du Mexique pour nous en retourner la panse pleine de vivres, chez nous, quelque part dans le Nord. La ville est assaillie de camions de toute provenance, alors je passe inaperçue et je vais où je veux avec mon gros tracteur : au

4. ALÉNA : Accord de libre-échange nord-américain.

cinéma, au centre-ville, au centre d'achats ou au restaurant. À Laredo, les camions sont rois.

Semaine après semaine, je passe des heures à attendre des remorques bourrées. Chaque fois, je prends le temps d'explorer des bouts de la ville et, quand je reviens, je reconnais quelques personnes, comme les serveuses du restaurant où je m'arrête manger à chaque voyage, Chez Dany's. On m'a dit que c'était la meilleure cuisine de Laredo à prix honnête. C'est toujours bondé. On y sert les plats traditionnels du Texas, et les travailleurs locaux s'y attablent volontiers. Les gars en vert kaki, armés et badgés, sont de la *border patrol.* Le type couvert de tatouages, avec de longs cheveux blancs, coiffé d'un chapeau de cow-boy en vieux cuir, c'est un camionneur, je l'ai vu garer son camion à côté du mien. Il y a plusieurs moustachus basanés déjà assis, ils regardent distraitement CNN. À Laredo, la moustache n'a jamais perdu un poil de sa virilité, les bottes de cow-boy sont la norme, les chemises western et les bolos font chic. En voilà un qui entre avec sa femme, il la laisse choisir un siège et il la pousse au fond pour prendre place à côté d'elle sur la banquette, pour la protéger. Personne ne viendra s'asseoir en face d'eux. Un vieux couple qui ne communiquera que du regard. J'opte aussi pour une banquette, mais mon collègue s'installe en face de moi. Frida se précipite pour nous apporter des tasses de café et les menus. Chez Dany's, on ne badine pas avec le service. Vêtues de blouses rose bonbon assorties aux murs, les serveuses s'affairent des cuisines aux tables sans perdre le contact visuel avec leurs clients. Ce midi, il y aura une salade de *nopalitos,* des cactus pelés, mais il est encore trop tôt pour en commander. Quand Frida revient, c'est pour moi l'occasion de pratiquer une des langues du libre-échange :

— *Yo voy a tomar los huevos rancheros sunny side up.*

— *¿ Con tortillas de maíz o de harina ?*
— *Tortillas de maíz, por favor.*

Mon collègue commande ses œufs à la mexicaine en anglais et nous poursuivons la conversation en français.

Des serveuses repassent toutes les minutes pour nous soûler de café.

Et nous repartons repus, prêts à rouler sur les routes du libre-échange.

Sur ma remorque, des larmes de sel de déglaçage ont séché.
Je les transporte dans le désert de sable de Laredo.
Contrastes.
Dans le sable, le sel me fait survenante.

Ville : Stoney Creek, Virginie
Destination : la Floride
Cargaison : pneus
Température : manches longues, lumière d'hiver, soleil bien haut
Février 2008

Ruby

Un sourire est souvent l'essentiel. On est payé par un sourire.
On est récompensé par un sourire.
Antoine de Saint-Exupéry
Lettre à un otage

Quelle joie de sortir du camion avec une simple veste légère quand je songe à tous mes amis du Nord ! La Virginie marque mon changement de saison. Hier, j'étais en hiver avec mes amis sédentaires, me voilà arrivée au printemps, au sud de la Virginie. J'ai quitté les gens moroses en manque de lumière pour aller vers elle. Je l'ai vue. Ruby. Un éclat de lumière au bord de ma route. Elle m'a allumée avec une dose de sucre ! Ruby sert le café dans un Starbucks, on fait la queue devant son comptoir : une file de gens envoûtés par son énergie. Quand je la regarde, je vois un *cupcake* au chocolat moelleux couvert de crème rose bonbon. Elle a la peau lisse comme une ganache qui reluit quand on la fait couler sur un gâteau, elle a souligné ses lèvres avec du rouge framboise qui brille comme la confiture. Chocolat à la framboise, mon préféré.

« *Honey, what would you like today ?* »
« *What can I get you, sweetie ?* »
« *What would please you, sugar ?* »
« *Do you wish I'd leave some room for cream, sweetheart ?* »

Avec ses cafés, elle sème la joie en saupoudrant du sucre. Savamment, elle place, comme elle seule sait le faire, un « *sugar* », un « *honey* », un « *sweetie* » ou même un « *kitty* » à chaque phrase. Elle sucre tous ses clients, les hommes comme les femmes, les vieux comme les enfants. Les sourires s'accrochent aux visages les plus réticents, même ses collègues lui laissent la place en souriant. Comment ne pas être tenté par toutes les gâteries qu'offre son comptoir ? Ruby étend ses mots comme de la tartinade de chocolat aux noisettes, alors je me donne comme un bon pain ! C'est réconfortant et je prends tout, les yeux fermés, en respirant un grand coup pour humer ses paroles sucrées. Le café n'aura jamais été aussi savoureux.

Ville : Miami, Floride
Cargaison : mûres du Mexique, bleuets du Chili
Température : chaleur d'un moteur de camion ; mieux vaut être au frigo avec les fruits
Février 2009

Les olives de Lorenzo

Lorenzo a le teint du miel ambré et le corps trapu d'un arbre qui pousse dans le désert. Au premier croisement de regards, ses yeux m'intimident, tellement leur couleur, verte comme les olives d'Espagne, est rare pour un Hispano-Américain. Nous sommes curieux, lui de me voir reculer un camion plus gros que le sien, et moi de savoir d'où il vient avec son vieux rafiot que l'on décharge de ses petits fruits pour en charger mon mastodonte.

Je m'adresse à lui en anglais pour la forme, mais je lis l'incompréhension dans ses yeux. Alors, je sors mon espagnol imparfait. La magie opère et soudainement ses olives se mettent à briller ! Les barrières tombent, la glace craque. Il s'emballe et me parle comme si j'étais une Cubaine pure laine. Son langage me rappelle celui des Andalous ; comme eux, il avale quelques syllabes en parlant, mais il est aussi Cubain que les meilleurs cigares.

Quelqu'un m'a un jour demandé : « À quoi ça va te servir, l'espagnol ? T'en as pas besoin au Québec pour travailler ! » Comment expliquer l'impalpable à une personne repliée sur elle-même, qui porte des œillères et en portera toute sa vie ? Aujourd'hui, j'aurais aimé faire voir à cette personne combien l'espagnol a instantanément apaisé la détresse dans les yeux de Lorenzo ; j'aurais aimé qu'elle entende la joie de cet immigrant de pouvoir parler à quelqu'un qui le comprend.

Depuis son arrivée à Miami, il y a quatre ans, Lorenzo n'a pas eu l'occasion de se familiariser avec les rudiments de l'anglais, car, ici, il peut vivre uniquement en espagnol. Pas le temps d'aller à l'école pour apprendre la langue de son nouveau pays, quatre bouches comptent sur lui : sa femme et ses trois petits qui sont venus avec lui. Il a aussi une fille de 19 ans qui est retournée à Cuba après quelque temps, mais, à cet âge, on est autonome à Cuba. Ses héritiers parlent maintenant « l'américain », comme il le dit avec une fierté palpable. La passion l'emporte quand il parle de ses enfants.

— Mais t'as l'air si jeune pour avoir autant d'enfants ! Quatre filles et un petit-fils ! Wow ! *¿ Que edad tienes ?*
— *¡ Tengo treinta y cuatro !*

Il a le même âge que moi, 34 ans, et il est grand-père ! Deux chauffeurs de camion, deux existences si différentes. Tout nous sépare, mais le métier nous réunit. Je pense à tous ceux qui roulent près de moi. Combien de millions de vies uniques ?

— Je croyais que c'était difficile d'immigrer aux États-Unis, surtout de Cuba !
— *¡ Es muy difficil, pero gane a la lotería !*
— Quoi ? T'as gagné ta citoyenneté à la loterie ?
— *Pues si, cada año, 20 000 Cubanos son eligibles a fuir la pobresidad.*
— Une vie qui dépend de la loterie ! Incroyable ! Par tirage au sort… Alors, tu fais partie des 20 000 chanceux !

Je n'aurai pas le temps d'en savoir plus, on vient dire à Lorenzo que sa remorque est vide.

— *¡ Que tenga suerte, Sandra !*
— Toi aussi, Lorenzo, bonne chance !

Très vite, il repart et moi, j'entame le retour vers le Canada avec mes baies. Nous aurions eu tant de choses à nous raconter !
¡ Adios, Lorenzo ! ¡ Adios !

Ville : Miami, Floride
Cargaison : mûres du Mexique, bleuets du Chili
Température : à faire rêver les Nordiques qui gèlent
Février 2009

Transporter l'été

Ah, si les mûres avaient des oreilles et les bleuets, une langue !

Il y a déjà 11 jours qu'on a arraché les bleuets de leur arbrisseau dans un champ chilien. Depuis, ils ont vogué sur le Pacifique en longeant la côte sud-américaine, traversé le canal de Panama, puis la mer des Caraïbes en tanguant, tout paquetés dans leurs barquettes de plastique transparent. Du voyage, ils n'ont rien vu, car ils dormaient profondément. Près de leur bleuetière natale, dès que les portes de l'étanche conteneur se sont refermées sur eux, vite on les a endormis avec un gaz qui leur a fait croire qu'ils n'avaient pas quitté leur branche. Point de mûrissement avant d'avoir touché terre. Aucun effluve de bleuets sucrés ne se dégagera des bateaux chiliens.

Dans un autre coin du continent, au Mexique, poussaient des mûres au soleil de février. Leur histoire est presque la même, mis à part qu'elles sont parties en voyage à bord d'un camion sans jamais voir la mer. Par la route, elles ont contourné le golfe du Mexique, en traversant tout le Texas, la Louisiane, le Mississippi, la Géorgie, pour redescendre jusqu'en Floride. Un périple de cinq jours.

C'est dans cet entrepôt de Miami, où l'on porte des vêtements contre le froid même quand il fait 25 degrés Celcius, que tous ces petits fruits ont commencé à s'éveiller. Les dodus bleuets ont rencontré les mûres, fraîches et pimpantes même après plusieurs jours d'existence. Dans ma remorque, ils se sont collés, palette contre palette, et, à mesure que leur gaz de dormance s'évapore, ils exhalent leur parfum. Quand je vérifie leur température, qui doit être maintenue à 2 degrés Celsius, je prends une bonne bouffée d'air sucré aux bleuets. Les mûres, quant à elles, se laissent toujours désirer, c'est dans leur nature.

Nous parcourons 2500 kilomètres avant de les mener à destination, sans compter les 550 que nous avons faits à vide. Si vous voulez les voir, ils seront au magasin Costco de Saint-Bruno dès lundi matin, encore frais pour la semaine, même après 14 jours de voyage !

Quand j'en fais éclater un sous mes dents et que le jus se répand sur mes papilles, je ferme les yeux et je traverse les saisons. À bord de camions voyage un bout des étés chilien et mexicain vers l'hiver canadien. Tous ces kilomètres parcourus pour que l'on puisse manger des mûres et des bleuets frais en février me laissent un petit goût amer. Je songe aux tonnes de gaz nécessaires pour endormir leur mûrissement et, parfois, je me dis qu'il n'y a pas que les mûres et les bleuets qui sont endormis.

TransWest consomme
350 000 gallons US de *fuel*
par mois. Pour vos fruits et
légumes californiens.
Pour le nombre de litres,
multipliez par 3,78.
C'est combien?

J'ai dépensé 425 litres de *fuel*
à méditer sur la route.

Keep on trucking. For honey
(comme j'en ai 12 tonnes à livrer).

Destination : Hamilton, Géorgie
Cargaison : litière à cheval
Température : à fondre comme glace au soleil
Mars 2007

La chaleur du Sud

L'hiver s'agrippe au Québec depuis quelques jours, moins 24 degrés Celsius pour un début de mars, c'est froid ! Alors, je suis heureuse de recevoir mon assignation pour la Géorgie et de pouvoir faire 2100 kilomètres vers le sud pour m'en échapper. Quand je lis sur mes papiers de voyage que ma remorque est pleine de copeaux de bois destinés à faire de la litière à cheval, je suis doublement contente ! Je vais livrer dans une ferme ! J'aime les fermes comme d'autres aiment les plages du Sud. Il y a tant à y découvrir pour les hyperactifs comme moi.

Je téléphone avant de partir, parce que j'appréhende la navigation dans les chemins ruraux, avec mes 22 mètres de long et mes 40 tonnes. C'est le fermier lui-même qui me répond avec, dans la voix, une assurance qui est propre aux agriculteurs, sans doute acquise durant les longues heures à manœuvrer de grosses machines. Il me donne les indications :

— Suis la 27 vers le sud pendant 21,7 miles et tourne à droite sur la route de gravier, juste après le ruisseau des mûres. Au bout, tu verras notre ferme, la Poplar Place Farm.

Et il ajoute, comme pour me mettre encore plus en confiance :

— Ne t'inquiète pas pour ton camion, il y a beaucoup de place pour stationner, tu peux même dormir à côté de l'écurie si tu arrives tard.

J'ai tellement hâte d'arriver que mon partenaire et moi roulons sans arrêt pendant 24 heures, avec l'espoir d'atteindre le ranch avant la tombée du jour pour en profiter un peu.

Comme le fermier me l'a promis, je découvre la ferme après le ruisseau des mûres, au bout de la route de gravier bordée de forêts. La Poplar Place Farm est une immense terre verte avec des bâtiments des plus modernes.

Garry m'attend à côté de son tracteur jaune, la bouille sympathique, le ventre tout rond sans doute parce qu'il excelle autant dans l'art de faire travailler sa machinerie que de cuisiner sur son barbecue. Je m'habille en vitesse, comme si le froid m'avait suivie, et je descends du camion pour aller à sa rencontre. Telle une Nordique qui débarque de l'avion dans les Caraïbes au mois de janvier, la chaleur du Sud me happe. Autant celle du climat de la Géorgie que celle du fermier qui m'accueille avec un sourire radieux et une poignée de main volontaire. Le travail de la ferme a cuirassé sa peau, en y laissant des sillons blancs comme des labours dans les champs. Garry porte un jean et un t-shirt, il regarde mon accoutrement d'hiver et me dit :

— Avais-tu peur de transporter le froid avec toi ? J'espère que tu l'as laissé dans le Nord !

Et il éclate de rire à me voir dégouliner comme de la crème glacée vanille sur les doigts d'un enfant dépassé par sa montagne sucrée.

Et tandis que je retire quelques pelures pour me rafraîchir comme un moteur trop chaud, Garry enlève sa casquette et se met à se gratter la tête, l'air un peu embêté :

— Eh bien, Sandra, nous avons un problème ! Mon tracteur a une crevaison ! Je ne pourrai pas décharger ta remorque avant demain après-midi. J'ai commandé le pneu, mais on va me le livrer seulement demain midi.

Il fut un temps où j'aurais bouilli en mon for intérieur et dépensé beaucoup d'énergie en m'ingéniant à changer les circonstances. J'avais l'impression d'aller au bout des choses en essayant à tout prix, et d'acquérir le sentiment, illusoire, d'avoir le contrôle sur les contretemps. Au bout du compte, le résultat restait le même : j'avais gaspillé mon temps en tentant d'en gagner. Et puis, je ne sais plus quel jour, tout a basculé. J'ai arrêté de me battre contre les événements impondérables et j'ai commencé à prendre la vie comme une succession d'aventures inattendues. Ce jour-là, je me suis sentie soulagée d'un poids !

— Eh bien, Garry ! vous ne pourrez pas me décharger avant demain ? Tant pis ! Autant en profiter !

En regardant autour de moi, je vois cet îlot de tranquillité comme un paradis dans lequel je vais rester pour la journée. Quel bonheur ! Et je ne pense plus à rien d'autre qu'à me laisser aller à sa découverte. Rien à voir avec les *truck stops* asphaltés où j'ai l'habitude de m'arrêter.

Garry s'installe au volant de sa voiturette de ferme John Deere.

— Embarque ! me dit-il.

Il regarde mon collègue au loin et il lui fait signe de nous suivre avec le camion.

— Tiens-toi bien !

Il part en trombe sur sa petite machine. Je pousse un cri qui le fait rire.

Tout ce tour de manège pour s'arrêter 100 mètres plus loin, exactement là où il veut décharger les ballots de copeaux de bois demain. Il nous fait décrocher la remorque pour nous libérer du chargement. Et comme s'il avait déjà été lui-même camionneur dans une autre vie, avant même que nous lui demandions, il nous indique comment combler nos besoins essentiels : il nous montre les douches de son centre de compétition équestre ; nous informe que l'épicerie du coin ferme à 20 h ; explique à mon collègue, d'un œil taquin, où se situe le Hooters[5] le plus proche, prenant bien soin de surveiller ma réaction tout en éclatant de rire ! J'embarque dans son jeu en faisant mine d'être exaspérée, riant à mon tour, et, comme pour se racheter, Garry me dit où je peux trouver un Starbucks dans les environs. Décidément, on jurerait qu'il nous connaît ! On dirait un concierge d'hôtel cinq étoiles !

Il y a tout ce qu'il faut ici pour quelqu'un qui n'espère rien de plus qu'écouter les sons de la ferme et respirer l'air purifié par la forêt environnante. C'est sans doute le *truck stop* le plus silencieux qu'il nous ait été donné de fréquenter.

La nuit va bientôt tomber sur le ranch. On a coupé le moteur pour entendre les chevaux. Il ne fait pas froid. Il y a cette chaleur du Sud qui m'enveloppe.

5. Chaîne de restaurants américaine réputée pour ses serveuses légèrement vêtues.

Lieu : la ferme Poplar, Hamilton, Géorgie
Cargaison : litière à cheval
Température : à fondre comme glace au soleil
Mars 2007

Dani et la guerre

Hier, les chevaux de mon camion se sont arrêtés pour écouter ceux de l'écurie, et c'est sous une couverture d'étoiles que le silence est venu endormir les deux seules âmes humaines à rester à la ferme.

Quand j'ouvre les rideaux au petit matin, le brouillard recouvre le ranch comme un voile, et le jour m'appelle pour que j'en profite. Je sors du camion en m'étirant et en respirant à pleins poumons, et je pars faire le tour du propriétaire. Le silence hurle sa présence. Ça fait contraste avec les *truck stops* où je marche crispée, entre les mastodontes grondants qui m'observent de leurs phares menaçants.

Le site est immense ! J'ai l'impression de ne jamais avancer quand je fais un pas. Alors, soudain, je comprends pourquoi les employés se déplacent en voiturette d'un endroit à l'autre : à moins de monter à cheval, ils ne pourraient jamais faire leur travail. Bientôt, on tiendra une compétition équestre, et on a déjà commencé à préparer les lieux pour recevoir des centaines de chevaux venus des quatre coins de l'État. C'est pour ça qu'on nous a commandé une cargaison spéciale de litière à cheval.

Une camionnette arrive, les chevaux hennissent de joie. Une jeune fille descend avec entrain en leur parlant sur le ton qu'ils comprennent, ils piaffent d'impatience dans leurs stèles. Je souris devant le spectacle qui me donne envie d'aller à leur rencontre.

Quand elle m'a saluée de loin, jamais je n'aurais pu me douter qu'elle n'était pas de l'endroit, tellement elle a la chaleur géorgienne inscrite dans son attitude. Mais lorsqu'on se met à converser, sous le regard attentif de l'attroupement à crinière, chacune reconnaît vite l'accent de l'autre.

Dani a été élevée dans la montagne, pas loin de Munich. Il y a six ans, elle est tombée amoureuse d'un militaire américain en service sur une base allemande. Ils se sont mariés. Son histoire l'a amenée ici, près de Colombus et de la base militaire de Fort Benning. Les 20 chevaux dont elle a la garde la rendent radieuse, ses yeux brillent de passion et elle rayonne comme une Heidi en Géorgie. Pourtant, elle devra tout abandonner dans quelques semaines pour suivre son époux, appelé à l'entraînement sur une base du Texas. Elle ne paraît pas troublée pour autant, elle savait dès le départ dans quelle aventure elle s'embarquait. Bien au contraire, elle me fait part de son enthousiasme : il y a des chevaux au Texas, et la famille de son mari s'y trouve. Cette famille, en quelque sorte, est devenue la sienne, puisqu'elle a tout laissé derrière elle en Allemagne. Elle semble avoir pris racine en terre américaine. Elle me parle de son pays où tout est réglé comme du papier à musique et où les habitants sont très disciplinés. C'est l'unique chose qu'elle a trouvée à redire des Américains : ils manquent de discipline. Soudain, je remarque la ligne d'usure blanche laissée par le fer à repasser sur son jeans. Il n'y a qu'un amoureux de la discipline qui puisse repasser ses jeans à chaque lavage ! Voilà pourquoi elle a été séduite par un millitaire.

Dani est toujours enthousiaste à l'idée de découvrir d'autres lieux, d'autres avenues, d'autres paysages. Mais le Texas ne constitue qu'une étape d'un an dans la carrière de son époux ; après, elle ne pourra pas le suivre, il partira à la guerre en Irak.

À 30 ans, elle dit qu'elle a encore le temps pour les enfants. En fait, elle veut attendre qu'il revienne. Un nuage d'appréhension passe sur son visage quand elle m'en parle. Elle redoute le moment où il devra partir, elle a peur de ne jamais le revoir. Les travaux de la ferme l'ont endurcie, elle a en réserve des montagnes de force, mais elle préfère ne pas élever des enfants sans savoir s'ils pourront un jour serrer dans leurs bras autre chose que l'image en carton grandeur nature de leur père, fournie par l'armée.

Il y a plusieurs facettes à la guerre. Je viens d'en voir une, ici, dans une ferme, au fin fond d'un rang. Où que l'on soit, la guerre finit par nous rattraper.

Lieu : aire de repos à l'entrée de l'Illinois, route I-70 Est
Destination : Dallas, Texas
Cargaison : Bio-K Plus, probiotiques à boire
Température : qui me ravigote en me piquant légèrement
Mars 2009

Le café de la bienveillance

Depuis 2h45 cette nuit, je suis installée aux commandes du camion. Mon partenaire est tombé dans la couchette pour faire sa nuit durant une partie de la journée. J'ai bien dû parcourir 400 kilomètres avant que le soleil commence à m'assommer par le rétroviseur. Ce matin, il représente mon pire ennemi, il est trop fort et je n'ai qu'une envie : fermer les yeux pour ne plus le voir. Je lutte contre la fatigue. C'est difficile. J'ai des nanosecondes d'égarement, alors j'ouvre les fenêtres pour que l'air me tienne éveillée, comme je l'ai appris à l'école de camionnage. Au même moment, je vois un panneau : *Rest Area, 2 miles.*

Coup de chance ! Sortir au grand air à moins 12 degrés Celsius me fouettera un peu, parce qu'avec ce voyage, nous n'avons pas le temps de dormir : en moins de 55 heures, on doit parcourir le trajet de Montréal à Los Angeles. C'est le contrat, et nous l'avons accepté.

À l'intérieur du bâtiment se tient un homme bien portant et tout frais de son début de journée, mais c'est surtout son gobelet de café que je remarque : il contraste si bien avec le rouge de son t-shirt que j'ai l'impression d'être un taureau devant un matador agitant sa cape ! Quand je reviens des toilettes, il est toujours là, debout, à boire son café. Je me dirige vers la machine, je regarde tout ce qu'elle peut offrir :

espresso shot, dark roast coffee, chocolat, mokaccino; on peut même lui commander une triple dose. C'est comme si, en lisant le mot « café » plusieurs fois de suite, mon corps absorbait assez de caféine pour vaincre le sommeil. Il en coûte seulement 50 cennes pour un petit café, et j'ai déjà choisi le mien : un *dark roast* triple dose avec un lait. Mais c'est peine perdue ; je n'ai pas un rond, ni sur moi ni dans le camion.

— *A good hot cup of coffee!*
— *I would like that so much! But the machine doesn't take credit cards!*

Alors, il met les mains dans ses poches et me file 50 sous. Je n'ai pas la force de refuser.

— *Oh! Thank you! You're gonna save my life!* lui dis-je en élevant ses deux pièces de 25 cennes.

Il a dû voir à ma blancheur l'état de fatigue dans lequel je me trouve. Je me promets intérieurement qu'un jour, je le rendrai au suivant.

Je sélectionne mon café, le gobelet tombe et, pendant que le café y coule, l'homme s'approche pour me tendre sa boîte de biscuits, alignés en rang dans leur emballage de plastique.

— *Take a few.*

J'en prends un.

— *No, take two more!* insiste-t-il, comme si j'allais mourir de faim.

J'en prends deux autres que je glisse dans ma poche en lui adressant mon meilleur sourire pour le remercier.

Ma journée peut recommencer, car j'ai la preuve qu'il y a des êtres bienveillants.

Avec son café et ses biscuits, il s'en retourne à son camion. On peut lire « Aaron » sur sa portière et sa remorque.

Je suis garée juste à côté. Je reprends la route avant lui tandis qu'il s'affaire à remplir ses papiers. J'attends qu'il lève la tête avant de mordre à pleines dents dans un de ses biscuits. Il sourit. Vanille, beurre et une pointe de citron envahissent mon palais. Son café va me tenir éveillée durant toute l'heure qu'il me reste avant de m'arrêter pour ravitailler le camion.

Un café et trois biscuits qui valent bien plus que 50 cennes !

Lieu : Houston, Texas
Destination : Montréal, Québec
Cargaison : polystyrène
Température : ne pas couper le moteur pour garder la clim
Avril 2005

Opération camouflage

J'ai mon voyage de retour, mais il est trop tard pour se faire charger aujourd'hui. Les compagnies ferment, pas nous. Quand les travailleurs retournent à la maison, nous attendons qu'ils reviennent pour remplir nos camions avant de pouvoir rentrer chez nous. Alors, cette nuit, je vais camper dans le quartier des raffineries de Houston en m'armant de patience. Au sud-est de la ville, dans les bayous du golfe du Mexique, je trouve la forêt de cheminées qui crachent du feu. Des milliers de spots les mettent en valeur, comme des trésors nationaux. J'ai l'impression d'entreprendre un safari dans la pénombre d'une jungle peuplée de dragons, toute petite dans mon 40 tonnes. Je n'arrive pas à repérer le bon dragon, ils se ressemblent tous. Un gardien de sécurité s'arrête pour savoir ce que je cherche, je dois avoir l'air un peu perdue sur le dos de ma bête.

— *Hi! I'm kind of lost in the middle of that jungle! Where is that refinery?* dis-je en lui glissant un bout de papier sur lequel sont inscrites les informations de mon client.

— *You're almost there!*

Il m'indique le chemin en tendant un bras devant lui et il ajoute :

— *But don't blink, because you'll miss it!*

Je repère enfin l'entrée. Il n'y a pas de place pour dormir tranquille au pied du dragon, mais j'y reviendrai plus facilement demain.

Dans mes rétroviseurs, la jungle s'éloigne sans disparaître et, le long de la bordure de béton de la desserte de l'autoroute, je range notre camion. Un autre fait pareil derrière. Comme moi, il vient camper dans la bretelle pour éviter l'heure de pointe de Houston. Mon partenaire regarde un film sur son ordi, il m'a sorti la couchette du haut. Par ma petite fenêtre près du dôme, j'observe une dernière fois les dragons avant de m'endormir, et je me laisse bercer par les vagues de trafic déferlant sur Pasadena Freeway.

Avec la lumière du jour, les dragons ont disparu. Devant moi, le paysage m'évoque la dévastation décrite dans *La Route* de Cormac McCarthy. Il y a des monticules noirs de matières non identifiées. Juste à côté, une mare. Les oiseaux s'y baignent. Tout n'est peut-être pas tout à fait mort après tout. Des cheminées grises crachent un venin jaune opacifiant le ciel déjà lourd, mais plus je m'approche, moins je vois la pollution. Quand j'ai le nez collé dessus, près des cheminées, je ne vois plus que le ciel est souillé.

À la une du journal de Houston d'hier: « Trois raffineries locales en tête de liste des pires pollueurs de tout le pays ». Le journaliste utilise un ton sarcastique et écrit: « Voici une autre raison pour que nous soyons tous fiers d'être Houstoniens. »

Il est 7 h. Mon collègue dort encore. Il n'a pas dû dormir beaucoup cette nuit, d'habitude il conduit. Son quart ne viendra qu'à midi. Cette fois, je fais les matins et les soirs, il fait les après-midis et les nuits ; ainsi, avec un horaire régulier, on se préserve pour tout le voyage.

À l'entrée de ma raffinerie, la gardienne de sécurité me demande si j'ai un passager.

— *Heeeuuu… No.*

J'ai pensé que si je camouflais mon partenaire, il pourrait se reposer tranquillement dans la cabine.

Elle a dû sentir mon hésitation parce qu'elle me pose la question de nouveau. Cette fois, je réponds avec un peu plus d'assurance en me croisant les doigts derrière le dos.

— *I'm by myself.*
— *Okay then. Go park your truck and wait.*

Je crois être au bout de mes peines quand un autre agent de sécurité arrive avec un rétroviseur convexe scotché sur un bâton. Même à la douane, ils n'ont pas ce genre d'instrument ! C'est une bonne idée pour bien inspecter un camion, sauf quand on est celui qui a quelque chose à cacher. Mon adrénaline monte comme si je m'apprêtais à franchir la frontière avec des clandestins. Des gouttes de sueur froide coulent sur mes tempes et mon sang fait trois tours. Une chose est sûre : je ne suis pas faite pour le métier de passeur !

Le gardien scrute le dessous de tout mon équipement. Habituellement, les agents de sécurité s'en tiennent à l'intérieur de la remorque, mais lui revient vers moi et me dit :

— *Okay, now open your hood and your side chest, I have to inspect your tractor.*

Je n'ai jamais vu pareille inspection. J'ai peur qu'il entende mes pulsations cardiaques, alors je m'exécute en vitesse, j'ouvre les coffres de chaque côté, puis le capot.

— Tout va bien, me pousse ma petite voix pour relâcher mon stress.

Mais qu'est-ce que je risque? Juste de me faire prendre comme une enfant et revivre ce sentiment d'avoir été pincée alors que je volais des bonbons.

Alors, le gardien ouvre la porte de ma cabine et il grimpe sur le marchepied. Je retiens mon souffle. Il s'étire le cou pour voir à l'intérieur. Je suis cuite! Ma tête s'emballe; je m'efforce d'imaginer un prétexte pour justifier la momie sur la couchette. Je ne trouve rien de crédible. Il a un mouvement de recul comme s'il avait terminé. Je respire un coup, soulagée, mais il hésite! Il remonte dans la cabine et s'avance un peu plus pour revoir le lit derrière.

L'agent redescend et vient vers moi. Je tente de rester impassible, mais je me tortille sur place comme une enfant qui cherche une excuse à ses cachotteries. Je ne peux pas lire dans son regard, il est caché par des lunettes fumées. J'ai envie de me justifier avant même qu'il ouvre la bouche.

— *Go into the guard shack, they'll show you a video for safety.*

J'expire enfin.

— *Okay! Thank you!*

Bon! Voilà! C'était pas si compliqué! Mais pourquoi ils ne veulent pas laisser dormir les coéquipiers tranquilles? Je me le demande. Je suis responsable du camion quand l'autre se repose, c'est comme ça qu'est faite la loi. Parfois, les clients nous font des misères, sans que j'en comprenne les raisons. Alors, je fais ce que je crois être le mieux pour l'équipe : je camoufle mon partenaire.

Je fais mine de chercher quelque chose dans la cabine pour informer la momie étendue sur la couchette. Je pouffe, j'essaie de me calmer en prenant de courtes respirations pour contrôler mes rires nerveux.

Dans le bureau de la sécurité, je me détends enfin quand on lance la vidéo. Une animatrice professionnelle, habillée comme une agente de bord, me décrit l'entreprise comme si j'allais faire un fascinant voyage au pays du pétrole. Avec un sourire de fierté, elle me parle des produits fabriqués à base de pétrole et m'en énumère quelques-uns : le maquillage, les jouets de plastique, les nouilles pour piscine…

— *We are surrounded!*

Elle me présente son voisin de quartier : la marine américaine.

— *Just to tell you how safe is our refinery.*

Après m'avoir bien rassurée en me disant qu'il n'arrive jamais rien de grave dans une raffinerie, elle m'explique quoi faire en cas d'alerte. Il en existe trois types : l'incendie, l'explosion et la contamination de l'air. Pour la dernière, on me remet un masque à gaz que je dois attacher à ma ceinture. Ça devient sérieux ! Ça me donne la trouille ! Je regrette tout à coup d'avoir caché mon partenaire. C'était avant de connaître les risques. Ça me revient tout à coup : aux nouvelles, cette semaine, on annonçait une explosion dans une raffinerie du Texas : 14 morts et cent 170 blessés. On me donne un badge m'identifiant comme visiteur et sur lequel il y a une pastille. Si elle vire au rouge, c'est qu'il y a une fuite grave et qu'il faut immédiatement mettre un masque à gaz et suivre la procédure d'évacuation d'urgence. Je déglutis en pensant à mon partenaire, la culpabilité me ronge quand je regarde mon masque. Je n'en ai qu'un ! Dans quel pétrin nous ai-je fourrés ? J'essaie de ne plus y penser quand je les regarde insérer dans ma remorque d'immenses blocs de styromousse, comme ceux qu'on met dans les arrangements floraux.

Le but de l'opération camouflage a échoué : mon collègue ne s'est pas reposé une minute avec tout ce stress, mais nous pouvons rentrer. Trois mille deux cents kilomètres à méditer et à se détendre, pour retrouver la maison. Rouler, voilà la partie la plus zen du métier !

Je retrouve mes lignes blanches,
salvatrices et reposantes.

Et roule et roule entre les lignes
de l'autoroute pour se reposer
l'esprit et s'entendre penser.

Lueur jaune à l'horizon,
le soleil s'étire les rayons.
Je l'imite au volant de mon
camion.

Lueur bleue dans le ciel.
J'inspire. J'expire.
Pour que mes idées respirent.
Début d'une nouvelle journée.

Bruit sourd et stable du moteur,
paysages qui défilent, route qui
s'allonge. C'est mon habitacle,
c'est mon espace de méditation.
Aaavroummmmmmm!

Lieu : du Texas à l'Oklahoma, route 287 et autoroute 44, direction nord-est
Cargaison : ma remorque vide me suit, une pleine m'attend à Lawton, Oklahoma
Température : à s'accouder le bras sur la fenêtre ouverte pour faire le plein de lux
Mai 2005

Le temps qui passe sous mes roues

Un pouceux qui marche au bord de la route se retourne pour voir si je vais l'embarquer. Je passe en trombe en changeant de voie pour ne pas le soulever avec le vent de mon sillon. Il m'envoie la main, il doit bien se douter que je ne peux pas le prendre à cause des assurances. Bras levé, je lui renvoie son salut sans qu'il ait eu le temps de le voir, mais peut-être a-t-il aperçu ma tête qui suit le poum-poum-ti-poum de Madeleine Peyroux, laquelle me donne la cadence :

Look down, look down, that lonesome road before you travel on…

À Wichita Falls, je bifurque sur l'Interstate 44, et je mets le cap sur le nord-est jusqu'à Saint-Louis au Missouri, dans 1100 kilomètres. De gros ballons survolent l'autoroute. C'est la nouvelle astuce des concessionnaires automobiles pour qu'on remarque leurs 4x4. En sens inverse, un Hummer franchit la frontière du Texas, tandis que j'entre en Oklahoma en traversant la Canadian River. Je me demande bien ce que cette rivière a de canadien – sauf peut-être la couleur rouge des falaises de la Gaspésie –, et je me demande encore plus ce qu'elle a d'une rivière : il n'y a pas la moindre trace d'eau dans son lit. Plus loin, une vache broute de l'herbe qui n'existe pas sur un champ de boue rouge. Une autre essaie de s'attraper la queue, les pis gonflés à bloc.

Défile la route, défilent les chansons, et Madeleine Peyroux continue d'interpréter le paradis :

When I hear them say
There's better living
Let them go their way
To that new living
I won't ever stray
'Cause this is heaven to me…

La musique, la conduite, les vaches qui broutent ou qui courent après leur queue, la route qui défile, c'est comme ça que j'aime regarder le temps. Et il passe sous mes roues.

'Cause this is heaven to me…

Ville : Lawton, Oklahoma
Cargaison : vide, pour charger des pneus
Température : ciel bleu et lumineux, mais il faut s'habiller en couleur pour égayer le paysage terni de poussière
Mai 2005

Les fleurs de Lawton

Au loin, j'aperçois les montagnes de Lawton, elles surgissent dans une plaine, comme les Montérégiennes de chez nous. Et je sors de l'autoroute ici, car, aux confins de Lawton, une remorque pleine m'espère, pour partir en voyage, accrochée derrière. Dans la rue principale, poussière et désolation. Le centre de la ville semble avoir été balayé par une tornade, plusieurs commerces sont déserts et ternis par une poudre grise. À l'autre bout du bled, dès que j'aperçois l'usine de pneus, je tourne à gauche sur un chemin de gravelle et, là, j'entrevois les remorques. J'avais eu du mal à les trouver la première fois, alors je m'en souviens ! C'est tellement poussiéreux que je ferme vite toutes les bouches d'air et les fenêtres. Mon partenaire sort de la couchette en toussant, la houle des nids-de-poule dans le gravier l'a secoué. Notre nuage annonce notre arrivée.

Kshhh ! fait le frein pneumatique qui relâche son air et soulève encore un peu plus de poussière.

J'attends que le nuage s'estompe avant de descendre. Mon collègue, lui, prend le volant pour aller faire l'échange. J'aime quand les transporteurs laissent leurs remorques chez leurs clients pour qu'ils chargent les cargaisons avant que nous arrivions ! En quelques manœuvres de décrochage et de raccrochage, je suis prête à rouler de nouveau pour atteindre mon objectif de kilométrage : 900 kilomètres par jour en solo, et entre 1700 ou 1800 kilomètres en duo. Sinon le salaire baisse au point où ça ne vaut plus la peine de passer son temps loin de la maison.

À deux, nous savons comment gagner du temps; alors, moi, je vais m'occuper des papiers dans le bureau. C'est une vieille maison mobile de tôle à laquelle on a rabouté deux bicoques distinctes pour l'agrandir. Sur le toit, des pneus maintiennent la couverture en place pour éviter qu'elle ne parte au vent. Des chaises empoussiérées se bercent au gré de la brise sur la galerie de bois. Un crâne de bœuf me regarde entrer. Pas besoin de frapper à la porte, ils savent déjà que je suis là, ils ont déjà respiré mon nuage de poussière, comme si j'avais projeté de la vapeur dans une ruche avant d'en déranger les abeilles.

Janna m'accueille avec un sourire qui fait des étincelles.

— *Where have you been?* me lance-t-elle avec une joie de vivre contagieuse.
— *It's been a long time, Janna, almost a year! It's great to see your smile again!*

La poussière ne l'a pas ternie, au contraire, elle lui sert d'écrin pour briller. Dans cette roulotte miteuse, Janna arrive à tout faire rayonner. Derrière elle, je reconnais *Les Vessenots* de Van Gogh, un tableau qui m'a marquée quand je l'ai vu au musée Thyssen-Bornemisza à Madrid. J'en ai même rapporté une reproduction qui me sert de tapis de souris depuis. Ici, ses couleurs pures me saisissent encore plus qu'au musée, elles sont si vives que la poussière ne semble pas y coller, comme sur Janna. Sur son bureau, elle a mis des tulipes de papier, chacune d'elles est un crayon, un crayon-fleur, un crayon gai. Tout le reste est brun et grège.

Hugo entre sur ces entrefaites. Le chien avachi sous le bureau lève la tête pour voir qui c'est. Je ne l'avais même pas remarqué, le pauvre. La chaleur saisonnière commence à l'accabler.

— *Look who's there, Charley!* dit-il en me regardant. *It's been a long time!*

Et il me tend la main. Je ne peux m'empêcher de lui dire, comme chaque fois que je le vois :

— *Wow! Hugo, you look great! Are you still the one who moves the trailer from the plant to the yard?*
— *Oh yes, I'm gonna be a shunter until I retire!*

Hugo est un grand Portoricain tout mince. Sa peau a la couleur d'un café corsé avec un soupçon de lait. S'il n'avait pas ce gris dans les frisous de ses cheveux et de sa barbe, je lui donnerais encore 20 ans à bosser, mais avec les histoires de guerre du Vietnam qu'il évoque je pense qu'il a déjà dépassé l'âge de la retraite il y a bien longtemps. Parfois, il vaut mieux continuer de travailler jusqu'à mourir pour ne pas dépérir.

Janna me donne les papiers de la nouvelle remorque. Dans son vase, je choisis une tulipe rouge pour les signer. Elle les télécopie au courtier en douane, à la frontière. C'est moi qui fais ça d'habitude. Janna est une soie. Comme ses fleurs. L'accusé de réception arrive en moins d'une minute. Elle me tend les papiers aussitôt.

— *Here you go, Sandra! Have a good trip on your way back home! Come and see us again!*

Avant de repartir vers la ville morne, je leur demande :

— *What happened downtown? It looks dead!*
— *When Walmart opened, it basically killed everything. You know, it's open 24 hours a day and they have great prices. Who can beat that?* me répond Janna.

Hugo opine de la casquette.

Ce n'est sans doute pas le dernier centre-ville que je verrai mourir. Les commerces de quartier crèvent, les piétons désertent les rues principales qui se délabrent. Les gens passent plus de temps enfermés dans leur voiture pour se rendre dans les Walmart et les grands magasins qui foisonnent sur tout le continent. J'assiste à la défiguration des villes nord-américaines. L'hémorragie semble trop forte pour être contenue. Triste loi du marché.

Ville : Fayetteville, Caroline du Nord
Cargaison : pneus
Température : à voir pousser des brins d'herbe tout verts qui tapissent les parterres
Mai 2006

L'herbe est plus verte chez le voisin

Aujourd'hui, j'affirme avec certitude que l'été est bel et bien là, je l'ai vu dans le jaune iridescent des champs de canola. Les arbres sont enfin feuillus et la lumière me suit jusque tard le soir. Hier, le soleil m'a même accompagnée jusqu'à 20 h 30 avant d'aller dormir ! La température n'est plus aussi radicalement différente entre le Nord et le Sud, et je n'ai plus besoin de changer de vêtements entre les parallèles. L'été n'est peut-être pas encore tout à fait arrivé au Québec, mais je le vois jouer des coudes pour faire son entrée.

Tandis que mon camion attend au quai pour qu'on le décharge à la main de ses 900 pneus, moi, j'ai le champ libre pour une promenade sur le terrain de l'usine Goodyear, histoire de faire le plein de lux. Il y a un ciel radieux et une forêt au loin, mais, à côté de l'usine, c'est plutôt un paysage industriel, on a tout peint en noir pour que la suie des pneus ne salisse pas les murs et les structures de métal. Un dépôt de matière noire recouvre le sol près du bâtiment, et rien n'y pousse, mais c'est là que je l'aperçois ! Un jet de vert brillant dans un milieu sordide. Une petite herbe toute verte née dans cette terre contaminée.

Je me mets à sa hauteur. Autour d'elle, tout est noir de contaminants. J'imagine le moment où elle a percé le sol, les odeurs qu'elle a senties et ce caoutchouc qu'elle a goûté au lieu de la bonne terre. Elle a peut-être cru que, pour tous les vivants, la vie était dure, puisqu'elle ne savait pas qu'on pouvait naître dans un autre environnement.

Je tourne la tête. Il y a un champ d'herbes sauvages où poussent des fleurs. Elle aurait pu y naître. La vie est un hasard injuste. Sa chance tournera peut-être, avec le vent ou avec de l'aide.

Lieu : *truck stop* d'Oklahoma City
Cargaison : papillons entiers, libellules, mouches et moustiques
Température : à faire un pique-nique au soleil
Mai 2009

Buffet pour oiseaux

Ma baleine et moi sommes attendues. Je l'amène couverte d'insectes, pour la plus grande joie des oiseaux locaux. Du haut des airs, ils guettent les arrivages frais. Dès qu'ils me voient entrer aux pompes de ravitaillement, ils analysent ma grille de radiateur en faisant les becs fins. Je leur présente un régal d'insectes grillés sur un plateau chromé. Ils volent de capot en capot, cherchant les meilleurs mets. Le va-et-vient constant des camions qui proviennent de toute l'Amérique leur offre un choix incroyable parmi les bibittes les plus exotiques, servies toutes chaudes, sans qu'ils aient à voler bien loin, un peu comme quand on va à l'épicerie et qu'on trouve des fruits du monde entier sans jamais devoir aller aux champs soi-même. Je crois avoir la plus belle assiette de toutes les pompes ! Cette fois, j'ai des libellules, des papillons entiers et une variété de mouches et de moustiques qui viennent du Sud. Les connaisseurs se régalent et, moi, je souris de satisfaction d'avoir cuisiné sur autant de kilomètres pour arriver à un pareil festin !

Lieu : terminal TransWest, Lachine, Québec
Destination : Los Angeles, Californie
Cargaison : crème pour le corps
Température : à regarder les étoiles par ses hublots
Mai 2010

Rouler en éveil

Voilà mai qui s'annonce, le printemps, le renouveau. J'en ai eu assez des endroits où me transportaient les explosifs et j'ai senti l'appel de l'océan Pacifique. TransWest. Montréal-Los Angeles, un aller-retour de 11 000 kilomètres, trois fois par mois si je le désire. De Montréal, je transporterai des denrées fabriquées au Québec pour la Californie et, là-bas, je me ferai charger de fruits et de légumes pour les supermarchés québécois. En équipe. J'aime travailler en équipe pour aller loin et revenir vite. J'aime dormir dans l'espace et dans le temps, parce que 800 kilomètres, c'est huit heures de sommeil. Quand l'autre roule, mes rêves se transportent.

Pour l'heure, je n'ai pas de partenaire attitré, alors je m'en remets au hasard. TransWest trouve quelqu'un selon nos disponibilités respectives. Je suis fébrile face à l'inconnu. Je serai projetée dans une capsule où ma bulle d'intimité s'entrechoquera avec celle d'un étranger. Six jours et six nuits dans une cabine grande comme une salle de bain, rien de tel pour voir si nos personnalités s'accordent.

— Tu partiras avec Nicole, m'a dit mon répartiteur au téléphone.

Il ajoute pour me rassurer :

— Elle a cinq ans d'expérience en équipe et en Californie.

Je ne l'ai jamais vue, je ne lui ai jamais parlé non plus: un véritable défi humain!

Au bureau du terminal, je la repère rapidement: une grande femme toute menue dans son jeans et son kangourou en petite laine. Avec son teint hâlé d'avoir profité du soleil de la Californie tout l'hiver, elle me présente son sourire, je lui rends la pareille. Le sourire du départ, c'est la clé dans le contact pour démarrer un moteur. Je sais d'emblée que notre équipe roulera bien.

Nicole, je l'ai tout de suite aimée parce qu'au fond de ses yeux, il y a cette tendresse de mère qui vous fait avancer. Jamais son regard ne se durcit, malgré la vie, malgré le métier. Elle a cette force tranquille, celle d'une veuve qui a élevé trois enfants seule. Depuis qu'ils sont grands, elle a repris le chemin de sa liberté avec le camion, ça lui fait des histoires à raconter à ses petits-enfants.

Elle aime naviguer la nuit, et dormir par segments le jour. C'est comme ça qu'elle roule depuis cinq ans, alors je me colle à ses habitudes et je roule du matin au soir, de 6h à 18h. L'après-midi, quand elle se réveille, je la regarde manger son balai à la guimauve et au chocolat comme une petite fille, et on sort prendre l'air, voir ce qu'il y a de nouveau dans notre paysage.

Un soir, en plein Wyoming, là où il reste des ciels d'un noir absolu, les plus beaux d'Amérique, elle me crie:

— Viens voir, Sandra!

Elle regarde la route, les deux mains sur le volant, la tête collée sur le pare-brise pour mieux voir le ciel.

— Regarde! Il y a tellement d'étoiles qu'on pourrait les ramasser par poignées!

Mon cœur se gonfle de joie pour monter en apesanteur quand je sens son émerveillement faire écho au mien. Je colle mon nez au hublot, comme les astronautes dans leur capsule, et j'ai l'impression de flotter sur l'orbite de l'Interstate 80. Je crois un instant que nous sommes dans l'espace, et je regarde Nicole aux commandes de notre navette spatiale.

Juste avant que je retourne au lit, elle me raconte qu'une nuit de tempête, alors qu'il neigeait à plein ciel dans l'Idaho, elle a vu les flocons comme des étoiles. Elle a réveillé son partenaire pour qu'il vienne voir ce qui tombait du ciel.

— Regaaaaarde ! Il neige des étoiles !

Il est sorti de la couchette en se frottant les yeux, trop endormi qu'il était, et il a repris le chemin du sommeil sans partager son engouement.

On se regarde et on se comprend : sur ce continent où tout va aussi vite que des étoiles filantes, les gens qui partagent notre ravissement d'enfant sont devenus aussi rares que les ciels noirs.

Et je rentre dans ma couchette en me rappelant les soirs de tempête où mes phares illuminent pleins feux de gros flocons tout blancs. Dans ma tête, il se met à neiger des étoiles comme dans les souvenirs de Nicole.

Je lui donne son sac de pinottes pour la nuit. Elle les mange une à une en se concentrant sur la mastication, ça la tient en éveil.

L'éveil. L'éveil à ce qui est beau et à la capacité de s'en émerveiller. Nous avons ça en commun. Ça démarre bien une équipe.

J'éteins les phares de mon camion.
Dans la nuit noire nous défilons,
Sur la calme mer de bitume,
Guidés par l'étoile de Neptune.

Plus je roule au nord, plus j'ai
l'impression de me rapprocher
du ciel.

Je n'ai plus besoin de lever
les bras bien haut pour saisir
les étoiles.

Je ne peux m'emparer des
étoiles, mais si j'allonge les
bras, je pourrais peut-être
m'en parer.

Ville : Little Rock, Arkansas
Cargaison : crème hydratante
Température : crème solaire, lunettes fumées
Mai 2009

Les racines de Joseph

J'ai encore l'air joyeux d'avoir parlé aux miens quand je retourne vers mon camion. Un vieil homme courbé descend de sa voiture. Je le salue.

Ses grands yeux bleus s'écarquillent ! Et il se met à marcher vers moi.

— *What did you say?*
— *I said hi!*
— *No! You said «*bonjour*»!*

Et son corps se redresse bien droit, comme dans sa jeunesse.

— *Oh, I'm sorry! I just got off the phone with my family, I did not realize I was speaking french to you!*

Et là, au milieu des États-Unis, un vieil homme se met à creuser au pied de son arbre pour déterrer ses propres racines.

— Mon père et ma mère étaient Québécois !
— Wow ! Quelle coïncidence ! Je ne parle jamais français aux États-Unis et il faut que je tombe sur vous avec mon « bonjour » ! Pourquoi donc vos parents ont-ils quitté le Québec ?
— Pour faire comme les Mexicains d'aujourd'hui, pour trouver du travail.

— J'ai souvent entendu parler de cet exode des Canadiens français vers les États-Unis, mais c'est bien la première fois que j'ai l'occasion de parler à un de leurs descendants !
— À l'ère industrielle, entre 1791 et 1871, il y a pas loin d'un million de Canadiens français qui ont émigré aux États-Unis. Aujourd'hui, ça représente 14 000 000 d'États-Uniens qui sont d'origine canadienne-française.
— Ça fait une belle pièce pour le patchwork états-unien !

Joseph connaît bien son histoire, et il m'en raconte un brin en faisant un incroyable effort pour exhumer son français. Quand il hésite, l'anglais prend le dessus. On dit de la langue qu'elle est vivante, c'est donc aussi qu'elle peut mourir. De sa mémoire, les mots de son enfance se sont effacés, mais il en reste encore quelques-uns. Des expressions d'une autre époque viennent fleurir ses histoires. Ça me fascine de l'écouter, je crois voir un film en sépia avec plein de poussière, des trains à vapeur et des filatures bruyantes.

— Où vos parents ont-ils immigré exactement ?
— Au New Hampshire, *I was born in Manchester.*
— Et maintenant, où habitez-vous ?
— Je vis à Springfield au Missouri.
— Je viens juste de passer là !
— *Did you? What a small world!*

J'ai l'impression que le mien est encore plus petit à force de le parcourir de long en large.

— J'arrive du Canada, je traverse les États-Unis jusqu'à Los Angeles.
— Wow ! Es-tu déjà venue ici avant ?
— Oh que oui ! J'ai fait près de 3 000 000 de kilomètres depuis que j'ai commencé à conduire des camions !

— *Really?* Moi, je répare des ordinateurs. As-tu un ordinateur dans ton camion ?

— Un ordinateur ! Bien sûr que j'en ai un ! Vous voulez le voir ?

Joseph devient comme un petit garçon, comme si je lui avais donné un coup de jeune ! Malgré ses 84 ans, je vois un bébé qui gigote derrière son masque de peau plissée. Ça me donne une bouffée d'énergie !

Il parvient sans difficulté à monter les deux marches de mon camion. C'est haut ! Quand on s'assoit sur le siège, on a les yeux à plus de deux mètres du sol.

— Si vous retirez vos chaussures, vous pouvez vous asseoir sur le lit, vous verrez mieux !

Il regarde partout.

— *This is pretty fancy, you could live in there!* Je sens de la fraîche, il y a même l'air conditionné, mais ton moteur n'est pas allumé !
— Mon camion est équipé d'une génératrice au diesel, c'est un moteur d'appoint sous la cabine, qui permet d'économiser du carburant. Il y a aussi un convertisseur de courant pour qu'on puisse brancher les appareils électriques.
— *It's almost like an RV!* As-tu Internet ?
— J'ai Internet sans fil dans les *truck stops.* Je peux surfer directement à partir du camion.
— Wow ! Tu as un *microwave* et un réfrigérateur ! *I'm looking foward to getting my own RV.* Je l'attends d'ici quelques jours, on va pouvoir rester indépendants en voyage, pour faire ce que je veux quand je veux ! Et je vais partir visiter mes enfants !
— Ils sont où ?

Ses yeux font comme une boussole qui cherche et il se met à compter sur ses doigts.

— J'en ai trois en Californie, deux au Texas, quatre à New York, six au New Hampshire et quatre vivent près de chez moi, au Missouri. Ils sont partout aux États-Unis !
— Ça alors ! Vous en avez eu combien ?
— On en a eu 19, ma femme et moi !
— Dix-neuf ! Comme un vrai Québécois du siècle passé ! Vous avez des petits-enfants ?
— J'en ai 38, j'ai même sept arrière-petits-enfants !
— Oh là là ! Quelle vie ! Est-ce qu'ils parlent français ?
— Non.

Il a comme un pincement au cœur dans la voix.

— Ma femme vient du nord du Missouri, et on n'avait pas l'occasion de parler français.

Soixante-quatre descendants, éparpillés aux quatre coins du pays, pour façonner les États-Unis tels qu'ils sont maintenant : un melting-pot de gens qui ont saisi des opportunités, avec, comme première condition, l'assimilation totale à la culture locale. La langue de Joseph s'éteindra avec lui, mais son arbre continuera d'étendre ses branches. Et peut-être que, au hasard d'un « bonjour » échappé sur la route d'un de ses descendants, les racines de Joseph seront de nouveau tirées de l'oubli.

— Je suis content d'avoir trouvé quelqu'un avec qui discuter en français ! dit-il, avec effort et hésitation. Tu vas me laisser ton adresse ? Si tu passes encore par Springfield, appelle-moi, je te présenterai ma femme, on ira te rejoindre au *truck stop*.

— Joseph, je vais essayer, mais la réalité, c'est que je n'ai pas souvent le temps de planifier un arrêt pour rencontrer des gens que je connais. Ça sera difficile.

Il baisse les yeux de déception. J'ai attisé une partie de sa mémoire, elle a repris vie l'espace d'une rencontre avec ses racines. Moi, je n'éprouve plus la déception. J'ai l'habitude. La route me gave de rencontres éphémères. En quelques minutes, j'écoute l'histoire de personnages fabuleux, je leur raconte un brin de la mienne, et je repars, la tête pleine.

Un an plus tard, j'ai reçu un courriel de Joseph.

Bonjour, Sandra !

Nous avons déménagé au Panama. Ici, il n'y a pas d'adresse de livraison et pas de numéro non plus, sauf dans les grandes villes.

Alors voici notre adresse :

Calle Principal [rue principale]
Al lado de la Iglesia [parking à côté de l'Église]
Potrerillos Arriba [la porte du Nord]
Distrito de Dolega [district de Dolega]
Chiriqui, Panama [province du Chiriqui, Panama]

Tout est bien ici ! Nous avons de nouveaux amis panaméens et ils sont très *helpful* sans jamais rien demander en retour.

LOVE IT. LOVE IT. LOVE IT. See ya.

Joseph est parti étendre ses racines au Panama.

Le vieux pick-up qui me dépasse est bleu ciel tellement ciel que l'usure a tracé des nuages sur son capot !

Destination : Los Angeles, Californie
Cargaison : serviettes hygiéniques
Température : tantôt les bras à l'air, tantôt les bras couverts
Mai 2009

Lire au volant

J'ai commencé à lire au volant depuis peu. C'est plus fort que moi. C'est comme une drogue. Conduire une dizaine d'heures par jour sur le long ruban asphalté, c'est parfois interminable, alors j'aime garder mon esprit occupé. Et les romans me happent.

J'ai lu tout un livre de Marcel Pagnol, *La gloire de mon père*, et j'ai aussi risqué le roman de Montesquieu, *Lettres persanes*, qui m'a demandé un effort de concentration considérable. Ensuite, je me suis laissé tenter par la brique d'Irène Némirovsky, *Suites françaises*. J'ai bien dû lire pendant 25 heures au volant dans le dernier mois. Tout ce temps, j'ai gardé l'œil sur la route. Juré. Car ces livres, rassurez-vous, ils étaient dans leur version audio ! Aussi inoffensifs que si j'écoutais la radio !

J'aime mon métier, car j'ai le pouvoir de fractionner mon esprit. Une partie pour la route, une partie pour l'histoire. Après, il me reste à imaginer les miennes !

Ville : Oklahoma City, Oklahoma
Destination : Los Angeles, Californie
Cargaison : serviettes hygiéniques
Température : manches courtes, quelques nuages
Mai 2009

Être riche de ses misères

Nous sommes riches aussi de nos misères.
Antoine de Saint-Exupéry
Vol de nuit

Derrière moi, il y a 2600 kilomètres et, droit devant, encore 2200. Mon corps ne ressent pas la fatigue; l'adrénaline l'empêche d'y penser. Je le nourris à petites doses, par automatisme, tout comme je m'apprête à le faire avec ma baleine qui boira les 600 litres de pétrole que je lui donnerai alors qu'elle a encore la panse à moitié pleine. Elle aura avalé 1700 litres pour se rendre de Montréal jusqu'à Los Angeles. J'enfonce les pistolets dans ses côtes pour bien la gaver, j'ouvre son nez et je monte sur sa roue pour essuyer les bestioles séchées sur son pare-brise. Il est constellé d'éclats de mouches qu'on a ramassées en naviguant sur la mer de bitume, comme une baleine à bosse rongée par les parasites qui se nourrissent à même son corps.

Deux hommes s'approchent de mon camion et me regardent laver le pare-brise. L'un d'eux a un large sourire, l'autre est plus timide. Ils sont colorés comme des Latino-Américains.

Je leur crie, du haut de ma roue, en continuant de frotter :

— *¿ De donde son ustedes ?*

Je n'entends pas leur réponse. Les moteurs qui m'entourent enterrent ma voix. Je descends de mon pneu pour leur parler de plus près. Les occasions de faire la conversation sont si rares pour moi que je les saisis quand elles passent.

— D'où êtes-vous ?
— De Cuba ! me répond le plus volubile, débordant d'une joie palpable de parler sa langue maternelle avec une personne qu'il croit Américaine.

Je m'appuie sur mon *squeegee* à long manche comme un berger sur son bâton, et j'enlève mon gant taché d'huile pour lui serrer la main. Il la refuse. Je m'en étonne. Il me dit :

— Non, non ! Remets ton gant ! Je veux serrer ta main gantée ! Comme on le fait aux États-Unis entre ouvriers.

Alors, à sa main propre et nue, je tends la mienne, couverte d'un gant de travail souillé. Il me la serre avec une chaleur à brûler les mouches sur mon pare-brise, sans jamais craindre de se salir, une vraie poignée à la dure.

— Moi, je suis Canadienne !

À ce moment-là, il s'allume. Mon Canada ravive un souvenir en lui, il pose la main sur son cœur et se met à me le raconter.

— Quand Cuba… quand Cuba avait faim… j'avais… j'avais 17 ans… Vous m'avez donné à manger ! Vous m'avez donné à manger ! Ton pays m'a donné à manger ! *¡Felicidades ! ¡Mira ! ¡Mira !* dit-il en montrant les poils sur ses avant-bras. *¡Me eriso ! ¡Me eriso !*

Il a la chair de poule. L'émotion l'étreint, je lui mets la main sur l'épaule en la frottant de compassion. Ses yeux se voilent.

Tout se passe si vite. Tout est si inattendu. J'ai du mal à comprendre son émotion, moi qui n'ai jamais eu à marcher sur ma dignité pour me remplir la panse, moi qui n'ai jamais eu à mendier dans ce continent de surabondance.

Je compatis face à l'authenticité de ses sentiments, exprimés comme ça, sans pudeur, sans cynisme, entre deux pompes à carburant qui alimentent nos camions d'une quantité pharaonique de pétrole, pour qu'on puisse aller nourrir l'Amérique, celle-là même qui leur a coupé les vivres et les a affamés. La dignité, en Amérique, c'est de travailler dur pour gagner son pain. Ils sont venus la retrouver ici, sans ressentiment pour cette main qui les a giflés. Ils s'y nourrissent sans remords, sans rancœur.

Jose se ressaisit et il enchaîne :

— J'ai travaillé à la mission diplomatique du Canada à Cuba. Les Canadiens, je les aime beaucoup. Félicitations !

Je prends conscience de toute l'aide apportée par mon pays, alors que je suis trop occupée à gagner ma vie pour me consacrer à ces humains dans la misère. Je réalise que mon travail sera aussi de voter pour que mon pays prodigue cette aide pour moi, pour aider ceux qui sont nés sans pain à en gagner par eux-mêmes.

Ce qui m'émeut, là maintenant, ce n'est pas ma propre fierté ou mon patriotisme à l'idée d'être née dans le pays qui a sauvé ces gens de la faim – comment pourrais-je être fière de quelque chose que je n'ai pas accompli moi-même ? Je suis émue du dévoilement de son âme, son âme qui tout à coup regarde la mienne se raviver.

Jose se tourne vers son frère, Luis, et me le présente :

— Regarde ! Lui, c'est un artiste, un artiste cubain qui chante du *cubano*. Tu sais ce que c'est, du *cubano*?
Sans me laisser le temps de répondre, il poursuit :
— C'est de la musique country !

Et il rit.

Puis, voilà, comme s'il suffisait d'avoir des oreilles dans les yeux, sans que je pose de questions, son frère me raconte son histoire, tel un acteur de théâtre, avec des camions pour décor et des moteurs en trame sonore. Luis a une intensité dramatique dans la voix, comme un comédien d'expérience qui possède son texte appris par cœur.

— Je suis sorti de Cuba grâce à une invitation du festival hispano-américain de Veracruz au Mexique en 1996 et, une fois là-bas, je suis resté. En 1998, je suis entré aux États-Unis. Je rends grâce à Dieu, dit-il en levant les bras et les yeux au ciel. Je suis rentré en taxi à la frontière de Matamoros et j'ai dit… j'ai dit au douanier : « Je ne veux pas de problème avec la loi. »

Il prend un air encore plus dramatique et clame :

— Si Cuba vous réclame que je sois emprisonné et que je sois déporté, alors, avant de retourner là-bas en esclave, je préfère qu'on m'incinère et qu'on répande mes cendres dans le Rio Bravo.

À croire que le communisme n'est pas fait pour les travailleurs acharnés qui rêvent de liberté. Cette simple liberté de pouvoir travailler pour nourrir sa famille et de disposer de sa vie comme on l'entend.

Les voilà bien intégrés au système capitaliste, à faire rouler leur camion, heureux comme des rois.

Et Jose, dans sa jovialité débonnaire, regarde le ciel et me regarde.

— Aujourd'hui, je rends grâce à Dieu, nous avons rencontré la reine des camions !

J'éclate de rire. Ils me couronnent reine ! Leur joie me submerge.

Mais d'où vient cette joie toute simple, ce bonheur qui m'irradie ? Sans doute un peu de la chaleur de leur pays. À croire que la misère ne les atteint qu'en surface, comme un vilain coup du soleil de Cuba qui leur aurait brûlé la peau en laissant, comme unique trace, la couleur du bronze, un métal qui résiste aux chocs.

Jose et Luis ne sont pas nés frères. Ils le sont devenus dans la misère. Unis par l'espoir, unis par la route, unis par le rêve américain. Ils ont connu la faim, ils peuvent désormais nourrir par leur histoire, insuffler de l'oxygène à ceux qui sont asphyxiés dans l'abondance, ils sont la richesse de cette Amérique, ceux qui lui font prendre conscience de sa chance.

Je dois continuer de nourrir ma baleine, elle me réclame.

— *Thank you, my friend. Gracias a la vida.* Merci, mon ami.

J'inspire une bouffée du sourire de Jose avant de repartir.

Nous avons dû nous quitter à regret, pour nous nourrir, pour nourrir l'Amérique. Je n'ai même pas demandé où ils allaient, mais je savais qu'ils souffleraient leur gratitude sur d'autres chemins, alors, j'ai repris ma route vers l'ouest pleine de cette grâce. À travers mon pare-brise, j'ai remercié le ciel et la vie pour cette oasis en pleine mer de solitude.

Lieu : douane américaine de Détroit, Michigan
Destination : Janesville, Wisconsin
Cargaison : rouleaux de papier
Juin 2006

La traversée

2h10 du matin. Le néon du plafond de ma couchette me tire du sommeil paradoxal. C'est dur ! J'arrive à me réveiller péniblement et à m'habiller en vitesse, il le faut, bientôt nous passerons la douane. J'ai les yeux encore embrouillés quand je viens m'asseoir devant et que je regarde Détroit sur l'autre rive. Au-dessus des gratte-ciel, il y a comme un fantôme qui plane dans l'atmosphère polluée, c'est le pinceau lumineux du phare de Windsor. Notre camion enjambe la frontière en grimpant sur le pont Ambassador ; dans l'eau qui coule dessous, les deux villes m'apparaissent comme des figures monstrueuses, prêtes à émerger. Tel un présage de son déclin, au pinacle du plus haut gratte-ciel de Détroit, je n'arrive plus à distinguer les lettres du logo de General Motors, elles sont floues dans le smog, je vois tout juste un point bleu comme celui qui s'évanouit dans le reflet de la rivière. Dans le ciel de Détroit, les succès et les échecs de son industrie automobile sont imprimés dans le smog. C'est peut-être pour ça qu'on la surnomme Motor City.

Au pied du pont, le plus gros port d'entrée terrestre des États-Unis fourmille de camions. Le territoire des douanes, entouré de murs de cinq mètres de haut, est gardé comme en plein jour avec des spots halogènes et des caméras. Du côté des voitures, c'est le calme plat, deux guérites sont ouvertes, mais vides, alors que, de notre côté, seulement huit guichets de contrôle sont ouverts, mais pleins. Je surveillle aussi les six guichets fermés; parfois, la lumière verte s'allume, mais pas ce matin. Les chauffeurs jouent du volant comme à la roulette pour s'insérer dans la queue qui sera la plus rapide. Le hasard décide qui entrera le premier aux États-Unis. Le temps compte pour un camionneur, il est payé au mille, alors son salaire diminue quand il passe la douane. La file s'immobilise, les camions attendent, les feux de frein s'allument et s'éteignent en alternance. Mon collègue tente sa chance dans la colonne la plus courte. Il n'y a plus moyen de changer, la remorque est trop longue pour faire des mouvements rapides, comme pour changer de caisse avec son panier d'épicerie. Les camions nous dépassent de chaque côté; les autres files sont cinq fois plus rapides! La chance n'est pas avec nous.

Vingt minutes à ronger notre frein avant d'avancer pour voir un douanier. Cette fois, c'est un apprenti dans la cinquantaine qui contrôle nos papiers et qui nous pose des questions, avec un tremblement dans la voix et des gouttes de sueur qui lui coulent sur les tempes. Il entre nos données en pitonnant d'un doigt sur son clavier, sous la supervision de deux inspecteurs. Parfois, celle qui surveille derrière son épaule soupire et lève les yeux au ciel par découragement. Nos papiers sont en règle, ceux de la cargaison aussi, mais il nous envoie quand même aux rayons X, sans se soucier du temps qu'il nous a déjà fait perdre. Je ne peux pas protester, c'est un passage obligé.

Une autre file à faire, encore du temps à perdre, comme si je faisais un mauvais rêve en somnolant. J'appuie ma joue sur la vitre et je me tiens la tête avec la main, et, même si je ferme les yeux à demi, j'arrive à suivre les événements autour de moi. Je ne sais plus si je suis dans le souvenir d'un autre passage aux douanes, ou bien si c'est la réalité. Dans le nouveau garage où l'on ausculte les camions à coups de radiations, nous passons un à un comme au lave-auto. La machine fait peur, elle a un gros bras qui nous passe par-dessus, comme prête à nous saisir, et je sens la menace du gros sigle international de la radioactivité, noir et jaune. L'agent de douane, qui se tient debout à côté, ne semble pas craindre de périr d'un cancer. Allez donc savoir, dans 20 ans, avec l'exposition prolongée… Dans sa radio, elle reçoit le signal indiquant que les rayons X débuteront dans quelques secondes, elle lève le bras et, sur ses lèvres, je lis le décompte : *five, four…* elle baisse son bras comme dans une course de voitures, mon collègue avance lentement, *three, two, one,* et le rayonnement s'amorce, j'entends le bip aigu comme la terreur, celle d'une alarme nucléaire. Je crispe mon visage par réflexe comme si ça faisait mal, et on commence à bombarder le camion de rayons X tout juste derrière nos sièges, jusqu'à ce que toute la remorque soit auscultée. Au bout du hangar, dans le bureau vitré, anti-rayons X, deux douaniers voient apparaître une image en noir et blanc du contenu de la couchette et de la remorque. Rien d'anormal. Personne n'est caché derrière nous et il s'agit bien de gigantesques rouleaux de papier, comme nos documents l'indiquent.

On nous relâche comme des criminels acquittés, mais je garde le sentiment de m'être fait voler deux heures de sommeil. Pour la énième fois, nous sommes entrés aux États-Unis, fin prêts à poursuivre notre route. Il ne me reste plus qu'une heure pour chasser les mauvais rêves et faire venir les bons ; après, il me faudra rêver assise au volant, alerte et éveillée, en souhaitant que les monstres de Détroit et de Windsor disparaîtront avec la nuit.

Ville : Gonzales, Californie
Cargaison : en attente de légumes pour rentrer au Québec ; quatre cueillettes, deux villes
Température : pas besoin de chaussettes dans les sandales, mais peut-être une veste avant que le soleil se lève
Juin 2010

Vaincre l'attente

Mon collègue reprend la couchette et je m'installe au volant. Le camion ne roulera pas : je vais le veiller à la fenêtre. Quand il ne roule pas, l'un de nous le veille. Pour la Californie, il n'est que 3h du matin, mais, pour mon corps, il est trois heures plus tard. Il forme un couple avec le fuseau de l'Est, il lui reste fidèle, même à 5000 kilomètres. C'est plus facile au retour.

Hier, mon collègue a fait charger des salades, il les a attendues cinq heures. Je n'ai pas senti le roulis du camion pendant mon sommeil, pas même quand il l'a conduit jusqu'ici pour attendre les prochaines palettes. À mon réveil, je ne sais pas où je suis, mais je peux lire « Gonzales » sur le GPS et, devant, sur l'usine en tôle avec 10 quais de chargement, il est écrit « Taylor Farm ».

Commence l'attente. Ma pire ennemie. Elle m'a déjà battue, mais j'ai appris à la vaincre. Rester zen, respirer, se laisser mener par les événements sans vouloir les contrôler, et s'occuper l'esprit. Ne pas imaginer le retour, ne pas imaginer la suite. Autour de moi, je dresse une grande muraille. Avec un Saint-Exupéry pour m'envoler, avec mon ordinateur pour me livrer, personne ne peut plus m'atteindre, pas même l'attente.

On s'assoit sur une dune de sable. On ne voit rien. On n'entend rien.
Et cependant quelque chose rayonne en silence.
Antoine de Saint-Exupéry
Le Petit prince

Ville : Gonzales, Californie
Cargaison : en attente de légumes pour rentrer au Québec ; quatre cueillettes, deux villes
Température : à mettre une veste avant que le soleil se lève, s'en faire une jupe quand il monte bien haut
Juin 2010

Fara

Quand j'ouvre les yeux, le soleil n'est pas tout à fait debout alors que je suis assise sur mon siège à attendre. Il fait la grasse matinée, abrié d'une montagne. Les chauffeurs de l'Est s'éveillent aussi, il est 9 h dans nos capsules téléportées, immatriculées au Québec ou dans l'État de New York. Encore deux heures de combat avec l'attente avant que le client ouvre ses portes.

À ma gauche, un chauffeur sort inspecter son équipement. Il a déjà une moitié de chargement, je le devine à son moteur de remorque qui tourne comme le mien pour réfrigérer sa marchandise.

Dans un camion rouge, à droite, un chauffeur attend, les bras croisés ; sa femme tricote, assise à côté, et, sur le tableau de bord, un chat tourne en rond. Nous nous saluons d'un signe de tête. Dans nos capsules, les regards insistants ne sont pas les bienvenus. Celui qui regarde trop longtemps dans la bulle de l'autre crée un malaise, comme l'écornifleur qui s'arrête devant une fenêtre de salon pour épier à l'intérieur d'une maison.

La roulotte qui sert des tacos ouvre, quelques hommes se pressent autour, la vie commence avec un petit-déjeuner en plein air. Un chauffeur passe, un burrito à la main, je ne vois pas son visage à cause de ses cheveux longs, il me fait penser au grand chef d'orchestre Kent Nagano qui viendrait de passer la nuit sur la corde à linge. Nous avons tous un peu l'air de s'y être étendus pour la nuit, défraîchis que nous sommes, sans pouvoir prendre une douche avant d'être chargés. Je descends me rafraîchir. Par chance, il y a des salles de toilette privées. Un peu d'eau chaude, du savon, un miroir, un espace fermé. Qui a dit que ça prenait une douche pour en prendre une ?

Un petit groupe de chauffeurs papotent dehors. Je passe et je les salue sans m'arrêter. Il est 8 h pile. On ouvre le guichet d'enregistrement. Les chauffeurs s'y agglutinent. Tous combattent l'attente, mais tous n'ont pas autant de patience.

Kent Nagano est là. Je suis la troisième dans la file, juste après lui.

— As-tu plusieurs pick-up ? me demande-t-il.

Je suis si étonnée d'entendre parler français que je lui réponds par d'autres questions !

— Tu parles français ! Tu viens d'où ?
— Je travaille pour une compagnie de Montréal, m'explique-t-il.

Les chauffeurs qui nous entourent nous regardent. Je n'aime pas parler une langue que les autres ne comprennent pas et risquer de voir croître leur méfiance, alors je poursuis en anglais par politesse pour le groupe.

Sa réaction face à mon attitude est une phrase laconique, mais si emplie de vérité qu'elle me fait vite me rendre compte de la sagesse qui émane de cet homme :

— Chaque langue nous donne une vie.

J'apprendrai qu'il en parle cinq.

On nous donne le numéro de nos portes de chargement, et le ballet des reculons commence. D'abord le camion rouge, ensuite celui de Montréal. Nous devons reculer les essieux pour les mettre complètement derrière, ça évite les coups lors du chargement. Je descends pour aider Kent Nagano, ça ira plus vite pour lui et donc pour moi. Je recule le mien, juste à côté du sien. L'aide est contagieuse, un chauffeur se place près de mes essieux, appuie sur le bouton pour les débarrer et me fait signe d'y aller. Je les recule jusque derrière, il les rebarre. Je brandis mon pouce par la fenêtre pour lui témoigner ma gratitude, il baisse la tête en pinçant sa casquette. Kent Nagano vient près de ma portière pour me remercier. Je lui fais « chuuuut » de l'index, mon collègue dort, si nous parlons trop près de la couchette, nous perturberons son sommeil. Le sommeil est une pierre précieuse, il faut en prendre soin, nos vies en dépendent. Il comprend tout de suite, lui qui travaille aussi en équipe, et je descends pour aller lui parler plus loin.

Fara Almond. C'est son nom. Né en Mongolie, marié à une Ukrainienne et installé à Québec depuis 20 ans. L'étendue de sa culture m'étonne. Il a une formation de musicien classique. Conduire un camion lui permet de méditer et de composer de la musique. Il garde ses ongles longs, pour obtenir un meilleur son de sa harpe. Il me parlera de son fils qui marche dans son sillon.

Avant qu'on se quitte, il m'écrit son adresse sur un bout de papier et, pour que je ne l'oublie pas, il me dessine une petite harpe à côté de son nom.

Plus tard, quand je ferai une recherche sur lui, je découvrirai que ses disques sont offerts sur iTunes. En écoutant sa musique, j'ai entendu sa route. Une longue route. Elle se poursuit avec son fils. Russ, 24 ans, bassiste dans le groupe These Silent Waves. Ils font la première partie des spectacles de Simple Plan au Québec. Leur premier album s'appelle *The Longest Ride.*

Ville : Ventura, Californie
Cargaison : en attente de fraises pour rentrer au Québec
Température : retirer ses chaussures, rouler ses jambes de pantalons et danser avec la mer
Octobre 2008

Danser avec la mer

J'ai marché un peu sur la plage, la mer me jouait son plus bel air en tanguant, puis je me suis assise sur le rivage, sur le meilleur siège de sable moulant. Des oiseaux se donnaient en spectacle. Ils avaient un bec en forme d'aiguille et de petites échasses qui allaient si vite qu'elles disparaissaient sans même laisser un sillage sur le sable.

Je suis restée là à observer leur jeu pendant un bon moment, ils étaient sans doute une centaine. Ils galopaient vers l'eau pour la rattraper, piquaient leur bec fin dans le sable aussi vite que des marteaux-piqueurs et, dès que l'onde écumante regagnait le rivage, ils se tournaient vers moi en prenant leurs jambes à leur cou. Et ils interprétaient leur chorégraphie de nouveau, comme s'ils dansaient un tango avec la mer.

Derrière, le soleil se couchait. Il était 21 h 30 pour moi, fille venue de l'Est, tout juste l'heure de rentrer dormir près de ma remorque pour la protéger en attendant mes fruits. Cette semaine, je retournerai au Québec avec des barquettes de fraises cueillies trop tôt pour goûter la fraise, mais, pour moi, ce goût de vert évoquera un souvenir de tango avec la mer.

Lettre de Sophie à Sandra la camionneuse
Juin 2007

Allo Sandra,

J'ai 26 ans. Quand j'avais 19 ans, j'ai abandonné l'école. Je n'arrivais pas à trouver un métier qui me convienne. J'étudiais en architecture, j'avais de bonnes notes et un bel avenir devant moi, mais la routine et la vie confinée dans un bureau ne sont pas faites pour moi. Peut-être un peu parce que j'ai vécu cloîtrée à l'hôpital plusieurs mois depuis ma naissance à cause de ma fibrose kystique.

Un jour, une amie m'a invitée à visiter ton blogue, je n'avais aucune idée du sujet qu'il abordait, mais, quand j'ai vu la photo de toi avec ton camion, j'ai crié : « Wow ! C'est ça que je veux faire ! » J'ai été complètement emballée quand j'ai lu les premières lignes de tes aventures sur la route.

Voilà que la maladie me laisse un petit répit pour qu'enfin je puisse aspirer à autre chose, même si mon entourage m'a toujours couvée et protégée, comme si je ne pourrais jamais rien faire d'autre que de ménager mes énergies pour me battre contre ma maladie. Je viens tout juste d'être acceptée au Centre de formation en transport routier ! Je vais enfin pouvoir devenir camionneuse ! Et je vais ENFIN pouvoir réaliser mon rêve et prendre la route ! On m'a refusée deux fois d'abord, mais, cette fois-ci, c'est la bonne !

Je partage cette petite histoire avec toi pour que tu saches que de te lire m'encourage beaucoup à croire que c'est possible pour une femme, une toute petite femme comme moi, de réussir à réaliser mon rêve qui est de conduire un camion et de traverser le continent. Alors, je tiens à te remercier, c'est délectable de lire tous tes récits.

Merci ! Et sache que tu es une grande source d'inspiration !

Sophie

Direction : hôpital Hôtel-Dieu de Montréal.
Température : les sœurs grises jardinent, les oiseaux butinent, les filles sont en jupe courte sur les Bixis
Juin 2010

Sophie

Je prends le long couloir éclairé au néon. Au bout, je tourne à droite dans l'aile consacrée aux malades atteints de la fibrose kystique, et je cherche la chambre de Sophie. C'est la première fois que nous prenons le temps de nous voir en vrai, trop occupées que nous sommes à naviguer sur nos routes, en parallèle. Sur la sienne, il y a des tempêtes tous les jours, mais elle avance malgré tout, les yeux plissés, la tête baissée et le bras tenant bien haut un flambeau pour éclairer droit devant. Aujourd'hui, les éléments sont trop forts, on a fermé la barrière sur son chemin, elle regarde la route devant, sans pouvoir avancer plus loin. Sa maladie a criblé ses poumons de lésions permanentes et ils sont infectés. Son médecin lui recommande de les ménager – « parce que, les organes vitaux, ça ne se régénère pas ». La fibrose kystique les détériore jusqu'à l'insuffisance. Il lui faut repousser ce jour au maximum, car, ce jour-là, il lui faudra prier pour une greffe. Cinquante pour cent des personnes souffrant de fibrose kystique ne survivent pas au-delà de 37 ans. Sophie en a 28.

On m'a dit qu'elle ne reprendra sans doute jamais la route en camion, alors je ne sais pas trop dans quel état je vais la trouver à l'hôpital. Je l'imagine plutôt mal en point.

Au bout du couloir, sa chambre. Dans un rayon de soleil flottant sur son lit, Sophie est assise en tailleur, bien droite, dans son jeans pâle, son gilet moulant ses épaules carrées. Joues rosées, cheveux bouclés attachés, quelle beauté naturelle ! Je fais un peu de bruit pour qu'elle tourne la tête, on se sourit comme pour s'apprivoiser et j'entre à pas feutrés. Dans ses grands yeux bleus, il y a tous les sillons de la route d'une battante, résignée à vivre.

Je ne connaissais presque rien de cette maladie avant de connaître Sophie, alors mon regard curieux balaie la chambre comme une caméra qui filme tout. Chaque fois qu'il se pose plus longtemps sur un objet, elle m'explique.

— Ça, tu vois, dit-elle en me montrant le « poteau » de sérum auquel elle est attachée, c'est les antibiotiques que je reçois pour soulager les infections. Et ça, ajoute-t-elle en soulevant son bras et en pointant du doigt le petit rectangle de plastique blanc cousu sur sa peau, c'est une « PICC line », une intraveineuse qui va directement près de mon cœur. Elle est bonne pour six mois. C'est plus facile d'injecter les médicaments pour mes traitements, ça brûle moins les veines.

Je la regarde, fascinée. Une étoile est tatouée sur son poignet. Elle porte la main à sa bouche d'un geste nerveux.

— J'ai les commissures des lèvres gercées, déclare-t-elle en se les frottant comme pour s'excuser de ne pas être à son meilleur. C'est à cause du produit que je dois inhaler pour fluidifier les sécrétions de mes poumons, ça me brûle la peau.

Elle tousse dans son coude.

— Si tu ne toussais pas, je n'aurais pas remarqué que tu étais malade.
— Tousser, c'est bon signe, c'est ça qu'il faut, que mes poumons se désengorgent.
— Et, sinon, comment vas-tu ?

Je tire le fauteuil de chevet plus près du lit et je m'assois. Elle m'apparaît surélevée, comme sur un nuage.

— Mon système immunitaire s'est affaibli, mes capacités pulmonaires ont chuté. Mon médecin me prescrit le repos pour que je reprenne des forces.
— Et tu es certaine de ne jamais reprendre la route ?

Dans ses yeux passent des nuages sombres, et perlent des gouttes.

— Je ne pourrai pas reprendre la route. Toutes les fois que je revenais à la maison, j'étais épuisée et ma santé se détériorait. Si je veux continuer à avoir une certaine qualité de vie, je dois m'arrêter.

Elle fait une pause.

— Dans toute cette maladie, dit-elle avec un sanglot, le plus difficile, c'est de faire le deuil de la route. Tu comprends ?
Elle essuie ses larmes. Je ravale les miennes.

Dans ma gorge, le tonnerre gronde et fracasse ma voix.

— Sophie, je voulais te dire que ta persévérance force mon admiration. Quand j'aurai des obstacles à surmonter pour réaliser mes rêves, je penserai à toi, ce que tu as accompli malgré la maladie, c'est extraordinaire.

Et j'ai vu l'étoile tatouée sur son poignet filer droit vers son cœur.

— C'était un grand rêve, de conduire un camion, je savais bien que ça s'arrêterait un jour, je le savais en partant, mais au volant du camion je me sentais tellement forte ! J'allais au bout de moi-même, j'avais l'impression d'accomplir quelque chose, je n'étais plus une victime, j'étais une gagnante.

Comme s'il lui suffisait de brancher ses mains au volant pour que le camion lui transmette toute sa puissance, faisant grandir en elle un sentiment d'invincibilité. L'espace d'un instant, je revois toute la route de l'Ouest dérouler comme un film dans ma tête et j'imagine tantôt Sophie, tantôt moi, nous agrippant bien fort au volant, le regard loin devant, les yeux alertes, grimpant les 13 vitesses les unes après les autres pour prendre notre élan. Je sens toute la force nous coller au siège sur une bretelle d'autoroute comme sur une piste de décollage et je nous vois sourire avec tous les muscles de nos visages. Je sais combien elle a aimé, comme moi, foncer droit vers l'horizon, vaincre les éléments, et faire tourner la Terre sous ses roues en ayant cette impression d'avancer à grands pas, parce que par le pare-brise défilent les paysages à 100 à l'heure. Comme la vie.

Le bruit d'un chariot dans le couloir vient nous distraire. Une infirmière entre dans la chambre d'en face. Il y a un gros rayon qui pénètre par la fenêtre, mais il n'atteint pas le lit sur lequel un jeune homme tout maigre est couché.

Sophie me regarde, le cœur gros dans ses yeux.

— Je le connais. Quand j'ai été hospitalisée il y a quelques années, sa sœur était à côté de ma chambre. En quelques semaines, je l'ai vue mourir. Et là, tu vois, ce matin, il a appris qu'on lui refusait la greffe pulmonaire. Il a 22 ans.
— Mais… mais pourquoi?
— Les greffes ne sont pas pour tout le monde, les médecins attendent que nos organes ne suffisent plus à nous faire vivre, ensuite il y a une série de critères pour savoir si l'on peut être sur la liste de dons. Lui, il est trop maigre, son corps n'absorbe

pas assez de lipides même s'il mange beaucoup, il maigrit. Il ne survivrait pas à une greffe.

La mort plane près de nous, je voudrais la fuir.

— Ça te dirait de sortir faire un tour? Juste pour changer d'atmosphère?

Elle jette un œil au tableau électronique qui contrôle son injection de d'antibiotiques.

— Je dois attendre la fin de mon traitement, il reste 15 minutes.

Je pense qu'elle est attachée à son «poteau» de perfusion comme nous le sommes au volant du camion, à rouler 10 heures par jour. La différence, c'est que, dans le pare-brise de cette chambre, les paysages ne changeront jamais.

— Je ne veux pas le voir mourir comme j'ai vu sa sœur. C'est dur d'être entourée de gens qui dépérissent... J'ai envie d'être normale, c'est pour ça que je me sentais bien en camion. Pendant ces deux ans, je suis arrivée à croire que je pouvais avoir une vie comme les autres.

La dernière goutte d'antibiotique est tombée. Sophie se détache toute seule, avec un savoir-faire d'infirmière. Elle retire le soluté, désinfecte sa tubulure et y insère une seringue d'eau saline pour la rincer.

— Je n'ai pas envie de rester dans cette ambiance, j'ai demandé mon congé, je vais continuer mes traitements à la maison.

Mon regard s'arrête sur des livres posés sur sa table de chevet: *Savoir vieillir* de Cicéron. Si jeune et si vieille à la fois, infusée de cette urgence de vivre, celle qui nous fait parfois défaut quand on croit qu'on a la vie devant soi et quand on ne pense jamais à sa fin. Des mots délicatement calligraphiés entourent son bras, comme pour la réconforter.

— Que signifie ton tatouage ?

Elle porte la main juste au-dessus de son intraveineuse et elle effleure ses mots du bout des doigts comme pour les lire :

— *Omnis vincit amor*, l'amour est toujours vainqueur.
— C'est beau ! dis-je.

Elle s'injecte la dernière seringue, celle d'Héparine, pour éviter que son sang ne coagule.

— J'ai vu ma diététiste hier, mon corps absorbe mal les lipides, je dois manger 3200 calories par jour pour maintenir mon poids actuel.

Sophie est toute menue avec ses 130 livres pour ses 5 pieds 8 pouces.

— C'est énorme ! Au moins, tu pourras en profiter !

Alors, on échafaude des plans pour aller manger un sandwich géant au café Santropol et des macarons à la boutique du Point G, avenue du Mont-Royal.

En partant, je vois que traîne *Lettre sur le bonheur* d'Épicure. Nous l'avons lue toutes les deux. C'est avec lui en tête que nous allons suivre les prescriptions et du philosophe et de la diététiste.

Lieu : route 57 au sud d'Effignam, Illinois, direction frontière mexicaine
Cargaison : pneus
Température : douce chaleur d'un feu de camp en été
Juillet 2007

Des feux sans artifice

Je file en direction du sud, en Illinois, sur la 57 ; l'autoroute est presque déserte. Le soleil s'abandonne à l'horizon et, dans le crépuscule, les arbres deviennent des ombres. Je pénètre dans un couloir de feuillus qui voûtent la route et, au sortir de cette allée enchantée, je constate que le ciel a enfilé son pyjama étoilé. Une myriade de lucioles se réveillent et scintillent comme si c'était jour de fête. Elles transforment la plaine en champ de Noël. Elles virevoltent, entonnant l'hymne des cieux, et l'écho des montagnes redit le chant glorieux... Elles font des farandoles luminescentes, comme une symphonie flamboyante. Un maestro de la lumière s'étale sur mon pare-brise, laissant une tache phosphorescente verte et vive qui met quelques minutes à s'évanouir. J'assiste aux feux sans artifice, sans gaz à effet de serre ni fumée infecte à respirer quand il s'éteint. Les lucioles me font la leçon : pour faire briller le ciel, nul besoin d'explosions. Je me mets à rêver que du bout de mon doigt je deviens leur chef d'orchestre, que je présente ce spectacle vert du haut du pont Jacques-Cartier où, tout en bas, on entend des « ooooh ! » et des « aaaah ! ».

Et pourquoi pas les Internationaux des concerts de lumière de lucioles ?

« Mesdames et messieurs, place aux Lumineuses d'Italie ! » « Je vous présente les Radieuses du Chili ! » « J'invite maintenant les Lampyres du Brésil ! » « Acclamons les Rayonnantes du Canada ! » « Applaudissons les Flamboyantes du Costa Rica ! »

Une féerie de lucioles sans enfumer les étoiles !
Suis-je illuminée ?
Plutôt enchantée par la féerie des mouches à feu.

Ville : Laredo, Texas
Cargaison : *peat moss*, mousse de tourbe canadienne
Température : à cuire son petit-déjeuner sur la carrosserie
Août 2006

El Taco de oro

Je me suis mise en route au lever du jour pour éviter la circulation et arriver la première.

Premier arrivé, premier sorti, c'est la norme dans l'industrie. Alors, je me gare en file avec les autres camions dans la rue longeant l'entrepôt où je livrerai ma mousse de tourbe canadienne.

Tout dort encore à cette heure matinale, sauf ce petit restaurant ambulant, déjà prêt à nourrir les travailleurs. Il ne me semble pas loin, sauf que l'asphalte irradie encore la chaleur de la veille et que Laredo est dessinée à l'échelle des camions. Il n'y a pas de trottoir pour marcher et on ne voit jamais personne à pied. Le ciel a beau rayonner, cette zone de la ville dégage une ambiance plutôt triste avec autant de bitume, de tôle et de déchets qui jonchent le sol. Il y a bien cet arbre aux fleurs lilas qui tente d'égayer un peu le paysage. Il n'y arrive pas.

Au loin, sur le devant de la caravane, on lit « *El Taco de oro, Food to go* ». Des camions se sont agglutinés autour. Un bruit sourd de moteurs diesel perturbe la quiétude du matin. Sur le côté du resto mobile, on a écrit le menu sur des cartons fluorescents collés dehors. Une jeune fille qui ressemble à Dora l'exploratrice prend ma commande par la fenêtre. Derrière elle, le chef est occupé avec ses chaudrons.

Je recule pour attendre avec les autres clients au soleil qui tape. Il y a bien un auvent ouvert sur la caravane, mais le soleil est encore trop bas pour qu'il y ait de l'ombre. Par cette chaleur, personne n'a le courage de rester manger sur place, les autres chauffeurs repartent chercher l'air frais dans le confort climatisé.

Dora m'appelle et me passe mes deux tacos en souriant, et je repars en marchant. Je sens le regard des clients dans mon dos. J'étais bien la seule qui n'étais pas de l'endroit, peut-être ont-ils remarqué mon accent étranger ou encore ai-je l'air d'une égarée sans monture dans le désert, parce qu'ici personne ne vient jamais à pied.

J'aime essayer ces petits restaurants où l'on sert le meilleur du fast-food des États-Unis. Les tacos sont sans friture et toujours pleins d'épices et de légumes frais. J'aime le tex-mex ! Mais, moi aussi, j'attendrai d'atteindre mon camion climatisé pour déguster mon petit-déjeuner tout simple, mais combien savoureux. La tortilla de maïs donne un petit goût suave et sucré ; la coriandre et la salsa complètent l'œuf brouillé. Un régal à 1 dollar, gagné à la sueur de mon front.

Lieu : Tim Hortons, autoroute 401
Destination : Montréal, Québec
Cargaison : rouleaux de papier pour l'imprimerie
Température : à frissonner au printemps
Juin 2006

Les anges de l'angle mort

Samuel était super-content. Son papa lui avait permis d'emmener son meilleur ami. À cinq ans, Thomas avait eu la permission de sortir pendant toute une journée avec son copain pour la première fois. En échangeant des regards complices sur la banquette arrière, ils jouaient à des jeux qu'eux seuls comprenaient. Les rires en cascade fusaient. Marianne, la grande sœur de Samuel, jouait toute seule avec sa poupée joufflue, reçue deux jours plus tôt pour son septième anniversaire. Elle lui peignait les cheveux en pensant au plaisir qu'elle avait lorsque sa maman brossait les siens avant d'aller au lit. Tous revenaient tranquillement du cinéma en roulant sur l'autoroute 40 Ouest. Le papa avançait au même rythme que le trafic dans la voie du centre.

Roger passait par là, sur la seule autoroute qui traverse Montréal. Il venait de faire charger ses deux remorques, attelées en train, de poutrelles d'acier. Il roulait avec le chargement le plus lourd permis au Québec : plus de 145 000 livres. Il avait passé une superbe journée. Il avait pu attacher son chargement en sifflotant, appréciant le soleil de midi, lui qui se souvenait encore du terrible hiver à faire casser les doigts sur les chaînes glaciales. Il roulait prudemment sur la 40 en direction ouest. Il avait mis sa cassette de Willie Nelson, celle qui a le pouvoir de lui faire traverser une grande ville bondée comme si c'était une rivière fluide.

On the road again...
Seeing places that I've never seen before,
I can't wait to be on the road again.

Le trafic était dense comme d'habitude, mais cela ne provoquait pas de ralentissement. Roger pouvait rouler presque à pleine vitesse : 60 kilomètres à l'heure. La petite berline grise se trouvait devant lui à bonne distance. Au loin, la fourche en Y séparant la 15 Sud et la 40 Ouest. Quand on se trouve dans la voie du centre, on peut prendre les deux directions. Le papa de Samuel et de Marianne a tourné le volant pour prendre la route du sud, mais très vite il s'est aperçu qu'il s'était trompé. Roger avait commencé à s'engager sur la route allant vers l'ouest quand il a vu la petite berline hésiter. Le papa a rapidement bifurqué vers la 40 Ouest sans tenir compte de son angle mort.

Le cœur de Roger a bondi aussi vite que son pied sur le frein. Il a crié comme si cela pouvait l'aider à freiner, sur un mètre, son chargement de 145 000 livres.

— Noooooooon !

Il a frappé une fois la berline. Comme dans un film au ralenti, il a vu la tête des enfants ballotter. La voiture a percuté le parapet et a rebondi plusieurs fois entre son pare-chocs d'acier et le muret de ciment. Roger a entendu les vitres se fracasser, la carrosserie grincer, la ferraille se broyer, les freins crisser. Il s'est mis debout, en vain, sur ses freins, comme pour leur donner plus de puissance. Il sentait la voiture se tordre sous son tracteur. Le mastodonte l'a traînée sur plusieurs mètres. Ses freins fumants sentaient le brûlé. Tout s'est arrêté. Le silence a crié. Roger est sorti de sa torpeur en tremblant. Le cauchemar n'a pas pris fin. Trois poutrelles d'acier avaient transpercé sa cabine, à deux doigts de lui perforer le corps. La voiture n'était plus. La tête des enfants ne dodelinait plus. Escortés par un papa trop jeune pour monter au ciel, trois anges sont nés dans l'angle mort.

Un ambulancier est venu chercher Roger tressaillant. Un policier a recueilli les témoignages des passants avant de rencontrer le chauffeur du camion. Il a pris la peine de le réconforter et de lui dire qu'il n'avait rien à se reprocher, qu'il n'aurait rien pu faire. Cela n'a pas empêché Roger de devoir suivre une thérapie durant deux ans avant de pouvoir repartir au volant d'un camion.

Je l'ai rencontré dans un Tim Hortons sur la 401, alors qu'il venait de reprendre la route, quelques années après l'accident. Il nous a raconté son histoire les yeux mouillés. Pour Roger, l'odeur des freins grillés, c'est l'odeur de la mort. Les chansons de Willie Nelson font désormais secouer les têtes des enfants et les projettent sous son tracteur.

Depuis qu'il m'a raconté son histoire, je ne suis plus la même. À partir de cet instant, j'ai réalisé que les automobilistes sont souvent inconscients de l'espace dont nous avons besoin pour freiner sans les frapper et j'ai commencé à me méfier encore plus d'eux. Et désormais, quand je regarde mes angles morts, je pense toujours à ces trois anges.

Lieu : route 90 au Texas, en transition de Laredo à El Paso
Destination : El Paso, Texas
Cargaison : remorque à vide
Température : soleil et calme plat sur la mer
Décembre 2005

La vie n'est pas un mirage

Notre navire a touché l'extrémité Sud du pays, mon coéquipier a accosté au terminal de Laredo. À peine a-t-il pris le temps de faire l'échange de remorques qu'il avait déjà repris les routes secondaires pour naviguer vers l'extrême-ouest du Texas. À El Paso nous attend notre prochaine cargaison : des télés à écran plasma pour les Québécois. Je n'ai pas senti le changement de cap dans ma cabine et je me réveille comme en pleine mer, en route vers la prochaine mission, avec l'étrange sensation de n'avoir pu toucher terre à destination. Ce matin, le désert m'offre un mirage de la mer, avec cette légère brume bleue à l'horizon. C'est le calme plat sur la route 90.

On a planté des barbelés le long de la route, et je me demande pourquoi on a consacré tant d'énergie à dresser des kilomètres de clôture qui pique alors qu'il y a déjà des milliards de cactus qui peuvent vous enfoncer 100 aiguilles d'un coup. Je me dis que cette clôture a été érigée là comme un bastingage, pour m'empêcher de sauter par-dessus bord dans le désert et de prendre le large. Je sors flirter avec ce paysage qui me semble dévasté, vu de la barre de mon navire, malgré le soleil qui se lève.

Si je ferme les yeux pour trouver la couleur que m'évoque la vie, je vois du vert, frais comme le gazon du printemps, encore pointu de n'avoir été coupé. Peut-être est-ce d'ailleurs la raison qui fait qu'on tente, tant bien que mal, de le faire pousser dans toute l'Amérique, parce que le vert, c'est la vie, avec ou sans eau. Ici, le paysage des plateaux de l'Ouest est peint de jaune et de brun avec quelques taches de vert sauge. Loin de l'idée que je me fais de la couleur de la vie. Quand je regarde de plus près, presque à genoux, le mirage de la dévastation disparaît. À mesure que je m'approche des barbelés, de minuscules détails rouge vif apparaissent, et j'aperçois les petits fruits lovés sur les branches des cactus. La rosée du matin les fait briller. Le climat est hostile, mais la vie s'obstine. J'ajoute ces images du désert à celles que je me fais de la vie. Un *roadrunner* passe en trombe et traverse la route, on dirait qu'il vole sans ailes. J'ai à peine le temps d'apercevoir sa houpette ! Il court si vite que ses pattes disparaissent et, avec elles, mon impression que le paysage est morne. La vie, dans ce climat aride, m'étonne.

/200

Au sol, des petites billes noires me plongent directement à l'époque où je partais à la chasse avec mon père, quand nous courions les bois à lever les collets et à traquer la perdrix. Je traînais toujours derrière, dans la lune, la tête baissée, parce qu'à ce moment, j'avais déjà conscience que, mes plus belles découvertes, je les faisais en scrutant le sol de près. Après tout, qu'est-ce qu'on peut bien saisir si on regarde en l'air ?

J'ai vu ces petites billes noires et je m'en suis rempli les poches, satisfaite. J'ai attendu la fin de la chasse, m'assurant ainsi d'avoir toute l'attention de mon père, pour déplier devant lui ma mitaine pleine de mes découvertes.

— Regarde, papa, ce que j'ai trouvé ! C'est quoi, tu crois ?

Avec la malice dans les yeux, il m'a répondu :

— Mehh ! C'est des crottes de lièvre !

Nous avons bien ri !

Plus tard, à la petite école, j'ai été fascinée d'apprendre que les lièvres passent pour remanger leurs petites boules noires, afin d'ingérer les nutriments restants. Par la suite, j'ai appris à reconnaître la première digestion de la deuxième, pour savoir s'ils reviendraient.

Aujourd'hui, en plein désert, je m'accroupis sur les détails et je touche la terre, comme pour me soulager de cette épreuve de me mouvoir sans cesse. Je souffre de ce mal de rouler à pleine vitesse vers l'horizon qui s'éloigne sans fin, sans jamais se laisser saisir, même avec les bras tendus au maximum et le visage crispé. Inatteignable. Alors là, maintenant, autour de moi, tout s'arrête, et tout me touche. Comme quand j'étais enfant, à scruter le sol pour saisir les plus belles roches, les plus beaux instants. Je m'assois en petit bonhomme et je chasse la vie dans ce paysage que je croyais dévasté. Avec le bout de ma chaussure, j'écrase une petite boule. Vert ! Il reste de la vie ! Les *jackrabbits* ne sont pas loin ! Ils reviendront ! Je me relève en regardant mon ombre grandir vers l'ouest, vers l'horizon, je dois reprendre le bateau, mais je ferai encore des escales en chemin pour saisir les petits moments qui font que la vie n'est pas un mirage.

Lieu : *truck stop* de Beaverdam, Ohio, sur la I-75
Destination : Clarksville, Tenessee
Cargaison : gigantesques rouleaux de papier
Température : à couper le moteur, ouvrir les portières et aérer l'intérieur
Mai 2004

Caroline

Dans le grand stationnement du *truck stop*, je tourne en rond pour trouver le plus bel emplacement, pas loin des arbres, et j'y recule ma bête entre deux autres déjà au repos. Je coupe son moteur qui bourdonne, les vibrations s'arrêtent. J'entends les cliquetis du métal sous le capot, le cœur de ma monture se détend, mon corps fait pareil, fatigué qu'il est de vibrer au diapason de la route. Quand j'ouvre les fenêtres pour sentir la brise de mai, dans la cabine d'à côté, un sourire s'allume. Caroline ! Dans ma tête, un souvenir de l'école de camionnage accélère subitement et passe devant. Elle et moi n'avions jamais touché un camion de notre vie en commençant nos cours, tout comme la plupart des élèves. Dans notre classe, nous étions 16 et, pour la première fois de l'histoire de l'école, nous formions un groupe parfaitement équilibré : huit hommes et huit femmes partant du kilomètre zéro. Nous partagions tous la même ambition : maîtriser la bête pour prendre la route. Quel bon temps nous avons eu à devenir camionneurs ! Quatre mois à étudier et à nous entraîner, 600 heures de formation pour apprendre le métier.

Caroline est toujours aussi belle. Une petite brunette au physique d'athlète, les yeux curieux, l'esprit fonceur, qui conduit seule son 18 roues.

— Caroline !
— Sandra !

Nous n'avons jamais été assez proches pour garder le contact et, pourtant, la croiser me comble de joie ! Je la regarde comme un miroir et je prends conscience de tout le chemin que nous avons parcouru depuis quatre ans. À ce moment précis, je comprends qu'il est possible de réaliser tous mes rêves si je les fixe sur l'horizon et que jamais je ne quitte la route des yeux. Je nous sens fortes toutes les deux, debout au cœur du continent, au milieu de 150 camions, à franchir les kilomètres pour atteindre nos buts.

Sa portière grande ouverte laisse entrevoir sa cabine. Mon regard se pose derrière elle et nous regardons toutes les deux son passager : un petit garçon, même pas haut comme une roue de camion. Il a la bouille pleine de sauce tomate, il ne remarque même pas que nous le regardons, occupé qu'il est à manger sa pointe de pizza.

Elle se retourne vers moi avec un sourire de fierté dans lequel il reste un brin de timidité, comme si elle avait peur de mon jugement, pour la pizza, pour l'enfant.

— Mais tu roules avec ton petit bonhomme ?
— Oui, c'est mon petit Thomas, une vraie boule d'énergie ! me répond-elle en poussant un soupir de fatigue.

Et elle me confie un bout de sa vie.

Thomas a 18 mois, autant que nos camions ont de roues. Sa mère vient juste de reprendre le travail pour arriver à joindre les deux bouts. Camionneuse, ça rapporte plus que caissière à l'épicerie, mais elle sait que sa carrière de grande routière est condamnée : quand Thomas ne pourra plus suivre, elle devra s'arrêter, faute d'un conjoint pour la soutenir. Elle parcourt, comme ses collègues, entre 800 et 1000 kilomètres par jour. J'ose à peine imaginer la charge de travail supplémentaire avec le petit à bord !

Le petit Thomas n'a pas conscience d'habiter un camion. Il a beau crier : « Encore ! Encore ! » quand passent les paysages et les panneaux publicitaires. Par ses fenêtres, rien ne s'arrête.

J'éprouve aussi cette impression d'habiter une capsule spatiale où, de l'autre côté des hublots, défilent des paysages qui ne s'arrêtent pas, des paysages dont il me faut m'imprégner quand ils passent.

— Des fois, j'aurais envie de m'arrêter pour voir de plus près ce qui impressionne Thomas par notre pare-brise, mais il faut garder le cap, dit Caroline avec un autre soupir.

Pendant quelques fractions de seconde, je joins mon point de mire au sien, compatissante ; il nous faut, toutes les deux, garder le cap, c'est ce qui nous empêche de nous arrêter. Et je songe à cette philosophie qu'on apprend dans le métier, kilomètre par kilomètre, cette philosophie où l'on amplifie les petits bonheurs en les méditant longtemps, une étincelle dans le regard et l'horizon dans la mire.

— J'ai faim, je vais aller me chercher à manger aussi !
— Reviens après ! Je me sentirai moins coupable de donner du fast-food à mon fils si tu nous accompagnes !
— Avec plaisir !

Alors, nos compteurs s'arrêtent le temps de manger une pointe de pizza. Hors de nos capsules, nous changeons de dimension, sans changer de cap.

Destination : Montréal – 14e jour, 3e aller-retour
entre le Canada et le Texas
Température : le thermomètre perd des degrés à mesure qu'on gagne des kilomètres vers le nord, mais le temps reste à porter un t-shirt
Mai 2006

14 296e kilomètre – Coup de barre à la barre

Les jours s'allongent et la route ressemble à un interminable ruban gris sur lequel je navigue, presque en léthargie. J'avale l'asphalte à un rythme insupportable. Par mes fenêtres se succèdent des champs, des forêts, des villes, des villages, des jours, des nuits, formant une chaîne infinie. Depuis 14 jours. Je brûle d'impatience d'arriver au bout de cette enfilade. Sur une tablette dans ma cabine, de vieux exemplaires du *Devoir* et de *La Presse* gisent, jaunissants. Leur date me rappelle le jour où j'ai quitté la maison pour me remettre en mode nomade. Il y a trop longtemps déjà. Vivre pour rouler, rouler pour vivre. J'ai le vague à l'âme.

Toute vautrée dans mon demi-lit, j'ai la nuit devant moi et je n'arrive pas à fermer l'œil. Pourtant, ma fatigue s'appuie sur toutes les parois internes de mon corps et exerce une pression lancinante pour sortir. S'il suffisait d'ouvrir la bouche comme une soupape pour la laisser s'échapper ! Hélas, j'attends le sommeil ; ma fatigue s'envolera seulement si je rêve.

Mes pieds sont tout froids, même s'il fait 22 degrés. La petite boîte électrique de mon ordinateur portable dégage une douce chaleur, je la glisse sous ma couette et j'y colle mes pieds. Cette bouillotte improvisée m'apporte un peu de réconfort, elle est comme ces briques, chauffées avant la nuit, que les mères d'une autre époque remettaient aux enfants de la maisonnée avant qu'ils aillent au lit.

Ce soir, je pense à tous les petits agréments quotidiens de la vie, auxquels je n'aurai pas accès avant de rentrer chez moi. Peut-être y a-t-il un peu de caprices dans mon blasement. L'abus d'asphalte engendre parfois un désabusement, et le manque de modestes plaisirs crée des envies insoutenables. Pour être heureux quand on mène la vie de camionneur, il ne faut jamais en demander plus que de satisfaire ses besoins essentiels : manger, dormir, se laver, se vêtir. En espérer plus, c'est connaître la frustration de faire face à un mur, sans corde pour l'escalader. J'arrive à mon bonheur en pourvoyant à mes besoins primaires, mais à certains moments, comme après 10 000 kilomètres, j'ai envie d'un peu plus que le nécessaire.

Les repas servis dans les *truck stops* ne me réconfortent pas, encore moins ceux des fast-food. Du blanc, du brun, du jaune, de la fausse mayo, de la fausse moutarde, de la grande friture, du sucre, du sel et de la sauce brune en sachet. De la bouffe apprêtée sans créativité, jamais cuisinée par des chefs dont c'est le métier, uniquement par des « mélangeurs d'ingrédients » ou des « décongeleurs d'aliments ». Dans les buffets à volonté, on trouve de la salade trop blanche et des légumes trop bouillis, avec du bacon et du beurre donnant des haut-le-cœur. Partout où je peux m'arrêter avec mon gros camion, on a compromis la saveur naturelle et la qualité des ingrédients pour en arriver à un bas prix. Aux abords de la route, c'est l'étroite vision que l'on a de la gastronomie. Cette vision, je l'ai vue inscrite en toutes lettres sur un emballage de cheddar (« *America spells cheese K-R-A-F-T* »), ou encore sur cet immense panneau publicitaire de McDonald's qui disait : « *C-h-e-a-p f-u-e-l* », écrit en grosses lettres à côté du prix dérisoire d'un burger et d'une frite.

Partout sur le continent, je capte ma chaîne de radio locale avec mon abonnement satellite. Écouter Radio-Canada me permet de sentir que je ne suis pas loin de la maison dans mon bureau roulant, et c'est aussi cette radio qui stimule ma curiosité et mes sens. Alors, là, il me prend des envies d'assister à un spectacle ; d'acheter un livre ; de goûter un vin ; d'essayer un nouveau restaurant.

Et je pense à l'abondance des odeurs et des saveurs que je retrouve à Montréal. Je pense à y déambuler à pied, au gré de mon humeur, à m'attabler dans un restaurant choisi à l'odeur.

Je pense à ma famille et à mes amis, qui me manquent. Je pense à toutes ces soirées, ces fêtes ou ces activités, sacrifiées pour rouler.

Je pense à prendre un long bain chaud ou encore au simple besoin de disposer de vraies toilettes: pour m'y rendre, je n'aurais pas à sortir tout habillée comme si j'étais en camping. Je pense à toutes ces nuits où la variation d'altitude me réveille, pour que j'égalise la pression de mes oreilles.

Je pense à mon corps, qui s'arrête de vibrer. Je pense à m'arrêter.

Rouler, rouler, rouler, garder le cap 10 heures par jour. Avaler 30 000 kilomètres par mois. C'est le rythme qu'il faut tenir pour gagner sa vie, c'est le rythme que j'ai choisi pour pouvoir penser. Parfois, je sens le prix fort que me coûte cette liberté.

Ça y est, le sommeil me gagne. J'éteins mon ordinateur, celui qui me relie à mon monde. Le camion continue à vibrer sur l'autoroute. Les yeux fermés, Montréal m'apparaît comme un mirage. Encore un long voyage.

Je me sens comme dans les bras
de morphine.

Est-ce moi ou le paysage qui
défile ? Ça n'a pas d'importance.
Je peux l'arrêter quand je veux,
s'il me laisse une petite place
sur sa côte.

Lieu : Amérique du Nord, voyage de retour de Laredo, Texas, à Montréal, Québec
Cargaison : poteries mexicaines
Température : allant de t-shirt et sandales, au sud de la ville, à duvet et bottes d'hiver au nord
Janvier 2004

L'Amérique est une ville

Le long des autoroutes, nous nous côtoyons. Au gré des chargements, notre communauté est disséminée dans la vaste ville de l'Amérique. Nous faisons connaissance devant un pâle café au restaurant ou au puits de ravitaillement, en attendant chez un client, ou encore au terminal quand l'un arrive et que l'autre part. Le destin crée les prochaines rencontres. Ou pas. Parfois un mois plus tard, parfois trois ans, parfois jamais. Toutes ces connaissances nous rassurent. L'Amérique du Nord se transforme en une grande ville. Nous la cantonnons. Ses routes nous deviennent aussi familières que notre quartier. Comme des habitués, nous en sillonnons les rues, les commerces et les cafés que nous connaissons par cœur. C'est l'apanage des camionneurs.

À des milliers de kilomètres de notre port d'attache, nous sommes contents de nous croiser, comme si l'on se rencontrait à la boulangerie du quartier ou au supermarché. Nous nous serrons la main, une petite tape sur l'épaule en nous faisant une blague. Nous partageons nos nouvelles, nous alimentons les rumeurs et les répandons comme la grippe dans toute l'Amérique !

La communauté est restreinte, mais, dans chaque courbe, sur notre chemin, nous trouvons une connaissance.

À Dallas au Texas, en ligne pour le ravitaillement, Gaston se plaint, pour la forme, d'avoir attendu deux jours à Laredo à 22 degrés Celsius au mois de janvier, mais son sourire respire la sérénité.

À Texarkana en Arkansas, le temps d'un café, André me raconte ses déboires de la semaine, se plaignant qu'il ne roule pas assez, mais son langage corporel transpire la fierté de faire son métier.

À Wichita au Texas, Bob, dit le « père Noël », me parle de politique canadienne. Par anticipation, il a voté libéral. En baissant le menton pour me regarder par-dessus ses lunettes, il me demande ce que je pense de notre nouveau premier ministre, avec un petit sourire en coin. Il veut taquiner la Québécoise que je suis, sachant que peu de francophones ont voté pour les conservateurs.

À Lawton en Oklahoma, Hugo me dit les seuls mots de français que je lui ai appris: « Oui! Oui! », son fou rire dévoilant ses dents blanches qui contrastent sur sa peau de Portoricain. La route se lit sur les sillons de son visage.

À Détroit dans le Michigan, je tombe sur Joe, un jeune chauffeur de qui je n'avais pas eu de nouvelles depuis trois ans. Je l'abreuve d'informations fraîches. Elles confirment les échos qu'il avait entendus. Il m'annonce qu'il a changé de compagnie et lance fièrement qu'il a fait un deuxième enfant. Dans ses yeux bleus et dans sa voix, je vois ses petits qui lui manquent beaucoup.

À Windsor en Ontario, j'aperçois Johnny, prêt à remonter dans son rutilant camion rouge. Il en est le propriétaire depuis six ans. Fier comme un paon, des étoiles dans les yeux, il me montre sa bague dorée et me présente sa nouvelle fiancée. Il la serre par les épaules et dépose un baiser sur sa joue. Il file le bonheur sur la route avec sa dulcinée.

À Dorchester en Ontario, m'asseoir et me faire servir un café avec le sourire de Betty m'indique que j'approche de la maison. Au terminal, à Coteau-du-Lac au Québec, tandis que Mireille et Jean-François partent pour le Sud, je rentre.

Fais du feu dans la cheminée
Je reviens chez nous
Jean-Pierre Ferland

Avec des images et des personnages plein la tête, j'irai dans les cafés et les marchés entendre la rumeur de mon village : Montréal.

À l'horizon, des nuages se sont étendus dans le ciel, plongeant leur regard vers l'autre côté de la terre pour voir venir le soleil.

Les camionneurs rentrent déjeuner au *truck stop*.
Nous sommes seuls à nos tables, à vivre en nous, dans notre espace mental aussi grand que le chemin que nous parcourons.

Mes Asics craquent sur le gravier. Le vent chuchote avec le foin. Les bernaches se mettent à cacarder. Et puis, voilà le train qui siffle au loin ! Le silence n'existe pas si l'on écoute bien.

Les cheveux blonds des champs de blé sont couverts de rosée glacée. Des milliards de cristaux qui semblent me faire des clins d'œil.

Les tracteurs bleus, jaunes, rouges ou verts se reposent dans les champs de neige.
Ils sont entrés en hibernation en rêvant de la prochaine saison. C'est pour bientôt, tracteurs, très bientôt !

Ville : Avonlea, Saskatchewan
Cargaison : pois chiches
Température : coupe-vent avec capuchon, bottes ; gants non nécessaires si on veut palper le paysage
Mars 2010

La route de Blue Hill

Je ne sais pas où je vais, mais j'y vais quand même.

Je n'ai pas d'adresse, mais les noms d'un village et d'un client. Avec mes phares et une carte sommaire, je cherche un silo à grains où l'on aurait inscrit « Blue Hill », mon client. Il fait nuit bleue. Dans ce paysage infini, mes phares n'éclairent pas plus loin que le bout du nez de mon camion. Au loin, j'aperçois quelques lueurs d'espoir : des maisons, ou peut-être des routes ? Je continue d'avancer dans les plaines de la Saskatchewan.

Avonlea. J'entre dans le village endormi. Partout, des panneaux m'empêchent de l'explorer avec mon mastodonte. Je reste sur la route principale, sans savoir si j'arriverai à faire demi-tour si je prends le mauvais chemin, quand soudain m'apparaît l'énorme logo de John Deere. Le chevreuil jaune qui bondit sur les tracteurs verts est un point de repère dans toutes les petites villes de l'Ouest. Il me rassure. À ses pieds sont exposées des dizaines de machines vertes, encore plus grosses que la mienne. Grâce à elles, je sais que j'aurai tout l'espace nécessaire pour retourner mon éléphant si jamais je me trompe. Alors, je poursuis vers l'avant. Il y a un arrêt. Un panneau m'interdit de continuer. C'est la croisée de mes chemins. Guidée par mon intuition, je vire à droite sur la route de terre encore gelée. Et là, comme par miracle ou par mirage, quelques spots, aussi hauts que les étoiles, illuminent le sommet d'un énorme silo dont la base reste presque invisible: Blue Hill, la fin de ma quête. Au pied, un tas de camions dorment en attendant qu'on leur remplisse la panse de poches et de poches de pois chiches pour rentrer.

Quand le soleil se lève, l'ombre des silos se découpe dans le ciel du grenier du Canada, et j'entrevois une voie ferrée qui fuit vers l'horizon comme si elle avait envie de s'échapper d'une terre trop plate. Je descends pour toucher le paysage. Il y a un bruit sourd de moteurs et de convoyeurs, mais il y a aussi celui des oiseaux qui prennent leur petit-déjeuner en pigeant dans les grains tombés sur le sol. Un train en attente a laissé tomber des pois chiches qui forment un monticule sur la voie ferrée. J'y plonge la main, j'y plonge les pieds et j'y plonge entière comme dans mon carré de sable quand j'étais enfant. J'éclate de rire! Les pois chiches me chatouillent les paumes, me massent les jambes, je fais le papillon, les yeux droits devant, vers le ciel. Je ne sais plus quel âge j'ai. Couchée sur la voie ferrée dans l'amas de pois chiches, j'ai une perspective différente des silos, ils ont l'air encore plus géants. Voilà la preuve que, quand je bouge, devant moi les horizons s'ouvrent, les perspectives s'étalent. J'aime rouler sur les routes et, surtout, j'aime les essayer toutes! Et soudain, étendue sur mon lit de pois chiches, un immense sentiment de bien-être m'envahit, un sentiment de fierté parce que même si je ne sais pas où les routes me mènent, j'y vais quand même. Parce qu'avancer sur une route, c'est aussi aller au bout de ses rêves.

Ce qui importe, ce n'est pas d'arriver, mais d'aller vers.
Antoine de Saint-Exupéry

Destination : Joliette, Québec
Cargaison : pneus neufs rejetés, pour la casse
Température : à vouloir prendre des vacances pour profiter de la maison
Juin 2006

Pâmoison de camion

J'ai quitté le terminal avec mon camion bien rempli, on lui a bourré la panse avec des pneus bons pour la casse. À la cimenterie, on leur donnera une deuxième vie. On les déchiquettera en petites granules, puis on les brûlera afin de les transformer en énergie pour fabriquer le ciment. Les pneus ne seront pas morts en vain. Leur énergie réduira les gaz à effet de serre. Une noble fin.

Joliette. J'aperçois les gigantesques silos à ciment. Plus je m'approche, plus le décor me semble sorti d'une planète faite de cratères et de poussière grise. Le terrain est parsemé d'embûches : le camion doit se frayer un chemin entre les silos et sous les convoyeurs de gravier qui descendent en angle, souvent trop bas pour que nous passions en dessous avec nos 4,10 mètres de hauteur. La sécurité dépêche une camionnette pour nous guider jusqu'au cimetière de pneus. Au bout d'une clairière de boue et de ciment, j'aperçois des montagnes de pneus plus hautes que mon camion. Je recule ma remorque face à ce mur de carcasses de caoutchouc et d'acier, et je décroche mon tracteur.

Délestés de notre remorque, mon camion et moi suivons l'accompagnateur jusqu'à la sortie, quand soudain, dans la nuée du pick-up, je le sens tomber en pâmoison. Il s'arrête net. Il a rougi d'envie quand il a aperçu un camion plus gros que lui !

Un colosse gigantesque, tonitruant, fort, sale et méchant, avec de monstrueux crampons pour jouer dans la boue, rugissant avec force sous le poids de sa démesure. Mon beau rougeaud bave d'excitation devant son frère d'huile viril qui avance en tanguant dans les saillies de terre et les trous géants.

— Mais qu'est-ce qui te prend? lui demandé-je. T'es né pour la grande route et c'est tout à ton honneur! Tu n'imagines pas ce que ce camion endure toute la journée pour bouillonner d'envie comme ça! Il bosse avec des cailloux qui casseraient ta carrosserie de fibre de verre, il trime avec des poids qui te feraient courber les pneus. Le costaud que tu vois, il travaille comme un forçat, il supporte le froid pendant six mois, il est maltraité à coups de roc. Ce n'est pas parce que tu fais de la grande route que t'es un gringalet pour autant! T'es un athlète de la distance, comme un marathonien. Qu'est-ce que tu crois? Qu'il ne t'envie pas, lui aussi? Il n'a rien vu d'autre que le ventre de l'usine qui l'a vu naître et la cour dans laquelle il s'affaire. Et toi? T'as fait le tour de l'Amérique plus d'une fois! T'as vu le Pacifique et l'Atlantique, les montagnes et les plaines, les cactus et les palmiers, les tornades et les tempêtes. T'as visité des coins perdus, des routes inconnues. Allez! arrête de te pâmer devant le gaillard! T'as du chemin à abattre!

J'ai rasséréné son moteur mugissant, mais je sais qu'il aurait donné cher pour jouer dans la même boue tous les jours et pour rentrer à son terminal chaque soir, pour profiter de la saison estivale.

Dépité, il se rend chez Firestone où je lui accroche une nouvelle remorque remplie de pneus neufs.

— En route pour la Louisiane! que je lui hurle en fouettant ses 450 chevaux-vapeur. YA! YA!

MERCI À TOUS CEUX QUI M'ONT TRANSPORTÉE

Par ordre quasi-chronologique :

Maman, grâce à qui je garde mon calme dans l'adversité. Je pense à toutes les fois où je l'ai vue avec bébé-frère sur un bras, petit frère quémandant l'autre, tandis que petite sœur chignait, juste avant qu'elle parte travailler, sans jamais perdre son sang-froid. Alors, dans la tempête ou dans l'attente, je soupire et je prends mon mal en patience.

Papa qui m'a traitée comme une « princesse » à qui il faisait corder du bois, distribuer 200 journaux tous les matins à 5 h, et ramasser des bleuets dans la canicule jusqu'à ce que je voie la vie en bleu. C'était dur, mais ô combien j'étais fière ! Tu ne le sais peut-être pas, mais tu as été féministe par l'exemple, autant quand tu cuisinais les repas que quand tu m'emmenais courir les bois.

C.A.T. qui m'a donné mes premiers camions, dont Fuego, le héros de mon blogue.

TransWest pour leur collaboration, leur compréhension face à mon côté bicéphale et pour les livraisons en Californie.

Mes partenaires de travail, qui ont partagé mon émerveillement au quotidien, même dans les moments difficiles : Normand, Élise, Nicole, Éric Sips, mais surtout Richard Dumont, compagnon de route de 2000 à 2009, pilier de constance et travailleur acharné.

Sarah Bussière qui m'a dit un jour : « Tu devrais avoir un blogue, tu écris bien. » Le lendemain cette histoire a débuté.

Aux commentateurs assidus de mon blogue, qui m'ont permis d'y croire : Jean, Mijo d'Araujo, André Tremblay, Choubine, Panthère Rousse, Burp, Épicure et tous les autres, pour leurs encouragements.

Jean Desjardins, qui m'a fait croire que j'arrivais à faire vivre des voyages extraordinaires avec mes mots. Merci pour ta relecture et tes commentaires.

Marie-France Bazzo, qui a allumé ma curiosité tous les matins à la radio, et m'a donné ma première chronique à Bazzo.tv : « La mondialisation vue du camion ». Je me pince encore.

Mes amis blogueurs, qui ont publié avant moi, et m'ont défriché le chemin, m'ont inspirée et m'ont guidée : Caroline Allard, Daniel Rondeau, Patrick Dion et Pierre-Léon Lalonde.

Mes amis qui gagnent leur vie en écrivant, de la fiction ou non, et ont toute mon admiration : Martine Pagé, Geneviève Lefebvre, Pierre Swalowski, Cécile Gladel et Marie-Julie Gagnon.

Laure et Jean-Pierre Armanet, qui ont tellement cru en moi et en mon talent d'écrivain, qu'ils en ont fait un film : *Je vous écris de mon camion.*

Vincent Verrier, qui m'a fait voir la route avec l'œil de l'enfant qui s'émerveille.

Patrick Leimgruber, mon agent littéraire, ainsi que son adjointe Véronique avec qui ça clique.

Ingrid Remazeilles, pour son flair et sa franchise. Deux éléments très précieux chez un éditeur.

Éric Lannegrace, qui m'a fait par de ses impressions dès les premiers jets. Grâce à toi, j'ai souvent su ce qui clochait.

Alain Thériault, véritable coach de motivation et de réalisation, qui m'a donné des petites tapes dans le dos et des coups de pied sur le muscle de productivité, avec ses techniques sans douleur. Je vous le recommande chaudement : alaintheriault.com

Olivier Bruel et Mireille Gravel pour leurs conseils d'amis.

Si je n'ai qu'un seul talent, c'est de savoir m'entourer de gens inspirants et motivants. J'espère vous rendre la pareille, au moins de moitié. Pour le reste, je vous inviterai à souper !

L'utilisation de 4310 lb de SILVA ENVIRO 114 M plutôt
que du papier vierge aide l'environnement des façons suivantes :
Arbres sauvés : 52
Réduit la quantité d'eau utilisée de 162 098 L
Réduit les émissions atmosphériques de 5 315 kg
Réduit la production de déchets solides de 2 046 kg

C'est l'équivalent de :
Arbre(s) : 1,1 terrain de football américain
Eau : douche de 7,5 jours
Émissions atmosphériques : émissions de 1,1 voiture par année

Marquis imprimeur inc.

Québec, Canada
2011